小説 ハートキャッチプリキュア!
新装版

著：山田隆司

講談社キャラクター文庫 019

目次

第一章　キュアムーンライトの誕生

その日、月影ゆりは希望ヶ花市のほぼ中央にある県立自然植物園を訪ねていた。

広い敷地には、世界中から集めた1万5000種以上の草花や、絶滅危惧種に指定された貴重な植物、日本ではここでしか見ることができない珍しい植物などが、屋外と大小15の温室の中で大事に育てられている。

ゆりは父親が植物学者でこの植物園の主任を務めていたこともあり、幼少の頃から数え切れないほど訪れていた。ゆりは父、月影英明の影響からか大の花好きで、園で咲く花のほとんどの名前と花言葉を知っていた。

ゆりが今日ここを訪れたのは、いつものように花を見に来たのではない。1ヵ月前パリで消息を絶った父の情報を園長の花咲薫子から得ようとやって来たのだ。

ゆりが訪ねてきてから10分後に、職員たちとの会議を終えた薫子がドーム型の温室——大きなぬいぐるみが置いてあることから、通称『ぬいぐるみ館』と呼ばれている——に現れた。白衣を着た小柄な初老の薫子は、ソバージュにした長い髪を靡かせ、男まさりの力強い歩みでゆりに向かって近づいてきた。

「待たせたわね、ゆりちゃん」

「お忙しそうなのにすみません」

ゆりは恐縮して頭を下げた。

「何言ってるの。あなたのお父さんを『こころの大樹』プロジェクトの一員に推薦したのは私よ。責任を感じているし、ゆりちゃんやお母さんと同じように心配もしているの。いつだってあなたたち親子の役に立ちたいと思っているのよ」

そう言いながら、薫子は2メートル以上ある大きなぬいぐるみの前にあるテーブルの椅子をゆりに勧めた。

それから、薫子は紅茶を淹れながら、月影博士がパリ市内で消息を絶ってから今日までの捜索状況を説明した。

インターポールを通じて、パリ市警に捜索願を出したのは失踪してから1週間後で、パリ市内のホテル、モーテルや月影博士が立ち寄りそうな場所などを隈なく捜したが何の手がかりも摑めていないこと。そして、捜索範囲をパリ市内からフランス全土に拡大して捜し続けていたのだが、やはり見つけ出すことができず、昨日再びインターポールを通じて、世界各国に捜索の網を広げたことを、薫子はゆりに話した。

紅茶を淹れ終わり、ゆりの前にティーカップを置くと、薫子も椅子に座った。

ゆりは紅茶には手を伸ばさず黙っている。表情には明らかに失望の色が浮かんでいるのが薫子にも分かった。

ゆりの脳裏には、自分以上にガッカリするであろう母、春菜の顔が浮かんでいた。

春菜は夫がパリで失踪したという知らせを受けた直後、三日三晩不眠で食事も喉を通らないほど心配した揚げ句、体調を崩し10日ほど入院を余儀なくされて、ようやく3日前に退院してきたばかりだった。

——お母さんにどう説明したらいいの……。

ゆりが心の中で呟いた時だった。

「ゆりちゃん、紅茶が冷めちゃうわよ」

薫子の声にハッとなったゆりは、

「私ったらボンヤリしちゃって……」

苦笑しながらティーカップを持つと、紅茶の香りを嗅いだ。

鼻孔にいつものダージリンの香りが飛び込んで来た。小学校4年生の時、生まれて初めて飲んだ紅茶がダージリンだった。学習塾に通い始めた頃で、帰りが遅くなる日は英明と一緒に帰る約束になっていた。英明の仕事が終わるのを待つ間、薫子が丁寧に淹れてくれたのがダージリンだった。

それからゆりは春菜にせがみ、紅茶を飲むようになったが、ティーバッグの日本製のものにはなじめず、家では飲まなくなった。薫子の淹れてくれたダージリンほど美味しく感じられなかったからだ。

それ以来、ここでダージリンを飲むことを秘かな愉しみにしていた。塾通いをしていた頃、薫子が不在でダージリンが飲めない時は不機嫌になり、

「ゆり、塾で何かあったのかい?」

と、英明に心配されることもたびたびあった。

ゆりがそんなことを思い出していると、

「ふふ、それ、子供の頃から変わらないわね」

と、薫子が柔和な笑みを浮かべて言った。カップを持つゆりの右手の小指が少し立っているのを指摘したのである。

ゆりは自分の小指を見ると、少し頬を赤らめ、

「これ、薫子さんのマネです。小学生の頃、生まれて初めてここでダージリンをご馳走になった時、どうやって飲んでいいのか分からなかったんです。それで、薫子さんの飲み方を見ていたら、こうしているのでマネしたんです。それがいつの間にか癖になって」

「私のマネ？」

薫子は自分のカップを持つ手を見た。ゆりの言う通り、小指が少し立っていた。

「あら、やだ！」

そう言うと、薫子は声を出して笑い、つられるようにゆりも笑った。

「こんな風に声を出して笑ったのは、とても久しぶりのような気がします」

「私だって同じよ……あっ」

言いかけて、薫子が小さな驚きの声を上げた。

「どうなさったんですか？」

「私の孫も……ふふっ、こうして小指を立てていたのを思い出したのよ」

薫子がいかにも楽しそうにまた笑った。

「お孫さんって、鎌倉(かまくら)のご実家の?」

「ええ。つぼみって言うんだけど、お婆ちゃん子だから、きっとそうよ。私が言うんだから間違いないわ」

「まあ!」

ゆりがおどけて言うと、二人はまた声を出して笑った。

ひとしきり笑った後で、薫子が紅茶のお替わりを淹れるために立ち上がった。

「薫子さん、私、夕飯の支度(したく)をしなくてはならないので、これで失礼します」

「あら、お母さん、まだ具合悪いの?」

「いいえ、家にいても悪い事ばかり考えるからって、今日から勤めに出てるんです」

「そう。働いていれば、気も紛れるものね」

ゆりは頷(うなず)くと、

「ご馳走様でした。それじゃ」

一礼して立ち上がったが、

「えっ」

小さな声を上げ、大きなぬいぐるみを振り返った。

「どうしたの？」

「あ、いえ……誰かに見られているような気がしたものですから」

「ゆりちゃんが綺麗なんで、コッペが見惚れていたのかもね」

コッペとはぬいぐるみの名前だった。

ゆりははにかむと、もう一度頭を下げ温室を出ていった。

夕陽に照らされながら去っていくゆりの姿を見送った薫子は、悪戯っぽい笑みを浮かべてとぼけた顔をしているコッペを見て言った。

「ゆりちゃんを見ていたのは、コッペじゃなくてコロンの方でしょう？」

ぬいぐるみのはずのコッペが目をパチクリして同意した。じつはコッペはぬいぐるみではなく、妖精であった。

次の瞬間、コッペの毛むくじゃらの胸のハートマークの部分から、小さなぬいぐるみのような生き物が飛び出してきた。名前をコロンと言い、やはり妖精だった。コロンは薫子の前の宙に浮きながら言った。

「キュアフラワー、ボク、あの娘に決めたよ」

少し吊り上がった目が特徴的で、意志の強さが感じられる。

「え？　……って言うか、いい加減キュアフラワーって呼ぶのやめてくれない。プリキュアを辞めてもう50年近くなるんだから」

薫子が苦笑しながら言った。

「キュアフラワーは、ボクら『こころの大樹』を守る妖精たちにとっては、大恩人で伝説のプリキュアだもの。今更、本名では呼べないよ。ねえ、コッペ様？」

と、コロンはコッペに同意を求めたが、無表情でボ～ッとしている。

「しょうがないわね。でも、私以外の人間の前では、喋ったりそうやって浮いたりしてはダメよ」

「ボクに限ってそんなことはしないよ。それより、ボクはあの娘を次のプリキュアにすることに決めたから」

「何ですって⁉」

薫子は驚愕して、コロンを見た。

「コッペ様の胸の中で見ていたけど、カモシカのような脚で運動神経もよさそうだし、一番気に入ったのは、『こころの花』の白百合が素敵だった。純粋で清らかで……」

コロンが言い終わらぬうちに、薫子が毅然とした表情で言った。

「ゆりちゃんをプリキュアにするのは、私は反対よ」

「どうして？」

「あなた、聞いてなかったの？　今ゆりちゃんはお父さんが行方不明なのよ。プリキュアになっている場合じゃないの」

「ちゃんと聞いていたよ。その割には、彼女の『こころの花』は少しも萎れてはいなかった。凄い精神力だと思ったよ。まさにプリキュアになるために生まれてきたような女の子だよ」

コロンは瞳を輝かせて言った。

薫子は呆れ返った表情になったが、すぐに真剣な表情に変わり、先程より強い口調で言った。

「私は絶対反対よ！　他を探しなさい！」

それでも、コロンは納得できず、

「キュアフラワー！　『こころの大樹』は『砂漠の使徒』が再び動きだしたから、至急プリキュアになれる女の子を見つけ出すようにボクに指示したんだ。キュアフラワーだって、うすうすは気づいていたはずだよ？」

薫子に食ってかかった。

「………………」

薫子はそれには答えなかった。コロンの言う通り、1ヵ月前に突然胸のペンダントが鈍く輝きだしたのだ。このペンダントこそ、『砂漠の使徒』の首領デューンの魔力を封じ込めたものだった。

薫子はデューン率いる『砂漠の使徒』が地球に近づいていることをペンダントの変化で

知り、コッペに命じて植物園全体に結界を張らせた。

先手を打ったことで、デューンが失った自分の魔力を取り戻すために、植物園に近づく可能性はほとんどないと言ってもよかった。

その後、今日に至るまでペンダントは一度も輝いたことはなかった。薫子が結界の外に出ていてもだ。それにより、デューンは諦めて地球を離れたものと薫子は思い、一安心した矢先だった。

それなのにコロンが突如薫子やコッペの前に現れて、『こころの大樹』の指示で、『砂漠の使徒』に対抗するために、新しいプリキュアを誕生させることを告げたのだ。

——デューンはまだ地球征服を諦めていないってことなの？

薫子は自問自答をしたが、答えは見つからなかった。

コッペの協力もあったが、たった一人でデューンや『砂漠の使徒』たちとの壮絶な戦いを経験したことがある薫子は、自分と同じ苦労をゆりにさせることは酷だと思っている。コロンが言うように強い精神力があったとしても、父親が行方不明で心が不安定な状態の今のゆりには、プリキュアとして『砂漠の使徒』たちに立ち向かうのはとても無理だと考えたのだ。

長い沈黙の後、薫子はコロンの目を直視して、再度言った。

「プリキュアにふさわしい娘は他にも必ずいるはず。その娘を見つけなさい」

先程より口調は穏やかだったが、反論することを許さない強い意志が感じられた。

「……分かったよ。他を当たることにするよ」

そう言うと、コロンは瞬時に姿を消し、温室を出ていった。

『こころの大樹』を守る妖精たちは、成長するにつれ、いくつかの能力が生ずる。最終形態のコッペのように、パートナーのプリキュアが危機に瀕した時、人間の姿に変身して救う能力をはじめ、結界を張ったり瞬間移動することも可能になるのだが、コロンレベルの妖精は空を飛んだり、姿を消したりするくらいの能力しか持っていないのである。

コロンの気配が温室内から消えた後、薫子はコッペに尋ねた。

「ゆりちゃんが本当にプリキュアにふさわしいと思う？」

コッペは何も答えず、視線を温室の天井に移したまま、ボ～ッと暗くなり始めた空を見上げていた。

薫子はコッペが自分と同じ考えであると思い、温室を後にした。


すっかり夜の帳が下りて、明かりが灯った植物園の職員官舎の一室から包丁の小気味いい音が響いていた。

月影ゆりは、まもなく仕事から帰ってくる母、春菜のために夕食の味噌汁のネギを刻みながら、あることを考えていた。

どうしても、薫子から聞いた父親に関する報告をしなくてはならない。自分以上に失望することは目に見えている。せっかく勤めに出るようになり、少しでも前向きに生きようとしている母を後戻りさせてはならない。そのためには何か希望を持たせなければ……。と、ゆりは考えていたのだ。

専業主婦だった春菜が、希望ヶ花駅構内の売店に勤めだしたのは、ゆりが私立明堂学園の中等部に入学した1年半ほど前からだった。

中学校とはいえ、私立の学費はバカにならない。公務員の父親の給料だけではギリギリの生活を余儀なくされる。春菜は少しでも家計を助けるために、働きに出たのである。ゆりは公立の中学校でもよかったのだが、小学6年生の時の担任が成績優秀な彼女のために明堂学園への進学を勧めてくれた。春菜は娘の将来を考えて了承したのだ。

毎日勤めに出る母親のために、ゆりは夕食の支度を担当するようになった。部活などで遅くなる日だけは惣菜屋に寄ることもあったが、時間のない時でも手料理を用意できるほど手際がよくなっていった。

両親が自分の料理に舌鼓を打ってくれることに、ゆりは至福の喜びを感じていた。学者バカの英明は「美味しい」の一言しか言わなかったが、春菜は事細かに感想を述べてくれて、ゆりの料理の上達に一役買ってくれた。

今日は植物園に寄ったために、手の込んだ惣菜を作る時間がなかった。それでも、ゆりは母の好きな煮物と味噌汁だけは作ることにした。

——あとはなんとか、お母さんに希望を持たせる手立てを考えれば……。

ゆりは調理を進めながら懸命に考え、名案を思いついた時、階段を上がってくる春菜の足音が聞こえてきた。

ゆりはネギと豆腐を鍋に入れ、一煮立ちさせてからコンロの火を止めると、テーブルの上に、すでに作っておいた芋の煮ころがしとサラダ、そして植物園からの帰りにスーパーで買ってきた刺身を〝三人分〟に分けた。

春菜は部屋に入ってくるなり、ただいまも言わずに尋ねてきた。

「ゆりちゃん、どうだった?」

「お帰りなさい。ちゃんと話すから、着替えて手を洗ってきて」

「はいはい。どっちがお母さんか、分からないわね」

春菜は苦笑して、台所から夫婦の部屋へ向かった。

勤めに出たことで春菜の気分が少し晴れていることに安堵(あんど)したゆりは、ご飯と味噌汁をよそい始めた。

部屋着に着替えた春菜はすぐに戻ってきて、椅子に座るなり英明の情報を尋ねてきた。

ゆりはできるだけ冷静に薫子から聞いたことを話した。予想通り、春菜の表情が曇った。

「そう……」

一言発しただけで俯いてしまった。

「お母さん、そんな顔しないで。『便りのないのは良い便り』って言うじゃない。ひょっとして『こころの大樹』を見つけ出して、調査に夢中になっているからかもしれないし」

春菜は俯いたままだった。

ゆりは英明が消息を絶つ前までは、最低でも週に2度は国際電話をかけてきていたことを思い出し、自分が気休めを言っていることに気づいた。小さな溜め息をついて、

「お母さん、お味噌汁が冷めてしまうわ。食べましょう」

春菜が顔を上げ、箸をとった時だった。

「あら？」

ようやく三人分の料理が用意してあることに気づいたのだ。

「お父さんが帰ってきたら、すぐ食べられるように用意したんだけど……」

そう言ってから、ゆりは母の反応を窺った。

春菜はしばらく考えた後で、口を開いた。

「……お父さんが帰ってきたら喜ぶと思うわ。ありがとう、ゆりちゃん」

二人は合掌して、食べ始めた。すると、

「ねえ、ゆりちゃん、帰ってこなかったら、それどうするの？」

「お刺身は煮つけて明日のお弁当に決まってるわよ」

「ふふっ、さすがゆりちゃんね」

英明が失踪してから、初めて春菜が声を出して笑った。ゆりは嬉しくなって、いつもより多弁になり、部活の話を始めた。

ゆりは小学生の頃から運動神経がかなりよく、小学校の運動会では6年間リレーの選手に選ばれていた。

中学校に入学すると、背が高かったことからバレーボール部やバスケットボール部から勧誘されたが、団体競技には興味がなく、一人で練習ができる陸上部に入った。

ゆりは人見知りするタイプではなかったが、誰にも邪魔されず、一人で黙々と練習を積み重ねて、己の技術と精神力、忍耐力を高めていくことに喜びを感じていた。

その甲斐があって、明堂学園中等部の2年生になったゆりは、市の大会の100メートル走で優勝、県大会でも準優勝して、この秋の全国大会の県代表にも選ばれるほどになっていた。

ゆりから代表に選ばれた話を聞いた春菜は喜び、

「大会が日曜日なら仕事も休みだし、応援に行けるわ。お弁当は奮発して、お母さんが作るから楽しみにしていて」

「なんかプレッシャーを感じてしまうわね」

言葉とは裏腹に、ゆりの表情は和んでいた。

その時、春菜がふと玄関の方を見た。

「どうしたの、お母さん？」

ゆりが尋ねると、春菜が自信なげに答えた。

「今、玄関の方で人の気配がしたような……」

「えっ⁉」

二人は顔を見合わせると、同時に立ち上がり、玄関へ向かった。

「誰もいないわね……」

春菜は言い、小さく息を吐いた。

ゆりは何も言わず、玄関のドアを開け左右の廊下を見たが、人の姿はなかった。

「お母さん、変なこと言わないで。期待しちゃったじゃない」

ゆりはドアを閉め、春菜を見て言った。

「ごめんね、ゆりちゃん……」

春菜が済まなそうに肩をすくめた。

「謝ることないわ。でも、これで明日のお弁当のおかずは、お刺身の煮つけに決定ね」

ゆりが微笑むと、春菜の口元も緩んだ。

夕食を終え、母と娘は一緒に洗い物をした。

春菜がお風呂に入っている間、ゆりは自室に行き、翌日の英語の予習をした。

ゆりが通う明堂学園は、中高一貫教育の私立校で偏差値も高く、県内から優秀な生徒たちが集まってくる。そんな中で、ゆりはつねに学年トップの成績を挙げていた。

成績上位者の多くは、将来の大学受験に備えて塾や予備校に通っていたが、中学に入ってからのゆりは予習、復習と、授業を集中して受けることでその座を守ってきた。授業や予習で分からない所は、積極的に先生に質問した。さらに読書が好きなことから、先生の知らない知識も貪欲に吸収していた。

「ゆりちゃん、お風呂が空いたわよ」

春菜の声にゆりは教科書とノートを閉じると、

「すぐ入ります」

そう言って風呂場へ向かった。

ゆりは長い髪を丁寧にシャンプーし、時間をかけてトリートメントし終えると、湯船に浸かった。

父親のことで緊張していた心が少し解放された感じがして、ついうとうとした時であった。脱衣所の方から誰かに見られているような気がして目を覚ました。

「誰？」

ゆりは湯船を飛び出し風呂場のドアを開けたが誰もいなかった。

「ゆりちゃん、どうしたの？」

居間の方から春菜の声が聞こえた。

「ううん、なんでもない」

そう言うと、風呂場に戻り、バスタブの掃除を始めた。そして再び脱衣所に行ってバスタオルで全身を拭き、そのまま体に巻いてドライヤーで髪を乾かした。

先程感じた気配が夕方植物園の温室の中で感じた気配と似ていることに気づいた。その瞬間、ゆりの脳裏に嫌な考えが浮かんだ。

――死んだ人間は霊となって生前親しかった人の前に現れるって何かの本で読んだことがあったけど……。

だが、ゆりは頭を大きく振り、

「私、何を考えてるの。そんなこと絶対にないわ」

口に出して否定すると、自分の頬を叩き、再びドライヤーで髪の毛を乾かし始めた。

それからというもの、ゆりは授業を受けている時も部活でトラックを走っている時も、誰かに見られている気がしてならなかった。授業中や陸上の練習中でもたえず周囲を窺ったが、自分を見ている者など誰もいなかった。

——私どうしちゃったのかしら。

今までにない感覚にゆりは戸惑い、昼食の弁当を食べながら親友の来海ももかに相談した。

「きっとゆりのこと好きな男子なんじゃないの？」

ももかは屈託のない笑みを浮かべて言った。

「それはないでしょ」

ゆりは即座に否定したが、ももかは続けて、

「あのさ、ゆりは気づいてないと思うけど、眼鏡取ったら相当イケてると思うんだ。コンタクトにすればいいのに」

ティーンズファッション雑誌の専属モデルをしているももかに言われて、ゆりは一瞬はにかんだが、すぐに苦笑いを浮かべて、

「それはないと思うわ」

ももかは素早くゆりの眼鏡を外すと、両手の親指と人差し指をL字形にしてカメラのアングルを作ってゆりの顔を覗いた。

「絶対イケてるよ！　今度私と一緒に雑誌に出ない？」

「からかわないでよ」

ゆりはちょっと怒った表情で、ももかから眼鏡を奪い返しかけ直した。

「残念だなあ。ゆりなら絶対人気が出ると思うんだけど」

「あなたに相談した私がバカだったわ」

そう言うと、ゆりは弁当箱の蓋を閉め、ベンチから立ち上がって校舎へ向かった。

「待ってよ、ゆり～」

ももかが慌てて追いかけてきた。

「私絶対からかってないから！　ほんと怒らないでよ～。あなたに嫌われたら、私、友達一人もいなくなっちゃうんだから」

ももかはプロのカメラマンの父親、元モデルで現在ファッションデザイナーとして自分のショップを開いている母親という家庭で育ち、子供の頃から雑誌の読者モデルになり、現在は専属モデルになっていた。その美貌とスタイルは、男子からは高嶺の花と思われ、女子からは妬まれ、学校では浮いた存在であった。

一方、ゆりもその学業成績からある意味浮いた存在でつねに一人でいることが多かった。

そんな二人が中等部の2年で同じクラスになり、水と油のように違う性格だったものの、お互い浮いた存在という共通認識で一致し、すぐに親しくなった。

ももかがグラビア撮影のために学校を休んだ日にはゆりが授業中にとったノートを貸すこともあった。

二人で洋服を買いに行けば、ゆりには思いもつかないような服を選んでくれて、それに合わせたコーディネートも抜群にセンスがよく舌を巻くことも多かった。

ゆりはももかと一緒にいる時が一番リラックスできると感じていた。

だが、こうしてももかと他愛もない話をしている時でさえ、誰かに見られているという感覚はゆりから消えることはなかった。


ゆりが植物園に薫子を訪ねてから1週間が過ぎた頃、ついにその原因が判明した。

自室でいつものように翌日の授業の予習をしている時だった。連日続いている誰かに見られているような感覚にゆりがふと後ろを振り返ると、突然見たこともないぬいぐるみのような生き物が姿を現した。

「誰⁉　あなたは」

「驚かせてごめん。ボクの名前はコロン。1週間前からずっと君を観察していたよ」

「あなただったのね、私をずっと見ていたのは」

コロンが頷くと、ゆりは鋭い視線を向けて、

「脱衣所から覗いていたのもあなたね？」

その途端、今度はコロンが顔を真っ赤にして怒りだした。

「失敬な！　こう見えてもボクは紳士だ！　たしかにボクは脱衣所にはいたけど君の裸は断じて見ていない！」

あまりの怒りように驚きを通り越して笑いが込み上げてきた。

「ふふ、分かったわ。あなたを信じてあげるわ」

コロンの顔から怒りの表情が消えると、ゆっくり浮遊してきてゆりの机の上に着地した。

「月影ゆり、君に頼みがある」

「初対面なのにいきなり頼み？」

「君から見ればそうかもしれないけど、ボクは1週間君を見続けたよ。頭がよくて、何事にも真剣に取り組む、君が気に入った。ぜひプリキュアになってくれないか？」

「プリキュア？」

「地球を砂漠にして、地上に住む人々の『こころの花』を枯れさせようとしている『砂漠の使徒』から地球を守るために戦う正義の使者がプリキュアさ」

ゆりはコロンが言っている意味がよく分からなかった。

「『砂漠の使徒』とか『こころの花』とか何なの？」

「たしかにボクが言ってることは人間にはすぐに理解できないと思う。分かった、順序立てて話すよ。まずは『砂漠の使徒』だけど、銀河系の遥か彼方にある母星からやってきた流浪の民だと言われている。彼らの母星は寿命を終え、すでに消滅している。彼らは宇宙を彷徨いながら棲み易い星を探しては自分たちが生きるのに快適な砂漠に変えた。高い科学力でその星のすべての資源を吸い尽くすと、また新しい星を探し、同じようなことを繰り返しているんだ」

「つまり宇宙人ってこと？」

ゆりには絵空事のようにしか聞こえなかったけれど、コロンの真剣な表情を見て話を聞くことにした。

「いくつかの星を砂漠化し、資源を吸い尽くした後、『砂漠の使徒』たちは400年前、地球に目を付けたんだ」

「400年前といえば江戸幕府ができて間もない頃ね」

「さすが頭脳明晰なゆりだ。地球の危機を感じた『こころの大樹』はボクのような妖精を生み出し、『プリキュアの種』を与えて『砂漠の使徒』から地球を守るプリキュアを誕生させたんだ」

「ちょっと待って。今『こころの大樹』って言わなかった？」

「ああ。君のお父さんたちが探して調査しようとしている木だよ。『こころの大樹』は地球の生きとし生けるものの源で、この世で一本しかない大切な木なんだ。君たち人間の一人一人は『こころの花』を持っていて、その花がすべて枯れてしまうと『こころの大樹』も枯れてしまうんだ」

「私も『こころの花』を持っているの?」

「勿論だよ。君の『こころの花』はとても美しい白百合だよ」

「あなたにはその花が見えるの?」

「ああ。白い百合の花言葉は……」

「『純潔』、『威厳』」

「君にぴったりの『こころの花』と花言葉さ」

ゆりはしばらく沈黙し、コロンが話したことを頭の中で整理していた。

長い沈黙に、コロンは今まで話したことが絵空事だと思われ、ゆりがプリキュアになることを拒絶するのではないかと恐れた。

だが、ゆりは違った。コロンの目を見据えて言った。

「あなたの言っていることは理解できたわ。つまり私がプリキュアというものになって人間たちの『こころの花』を守る。それは『こころの大樹』を守ることになるってことでしょう?」

その言葉にコロンの表情が穏やかになった。

「その通りだよ。さすががボクが見込んだだけはある」

「喜ぶのはまだ早いわ」

ゆりは少し下がった眼鏡のフレームを上げて続けた。

「もし私がプリキュアになれば、『こころの大樹』と会うことができるの？」

「たぶん……できると思う。『こころの大樹』は悪い事を企む人間や異世界の者たちから身を守るために次々と位置を変えているんだ。『こころの大樹』から生まれたボクでさえ今どこにいるのか分からない。でも、もし君がプリキュアになって成長していけば『こころの大樹』は必ず君の前に現れると思う」

「だったら私……プリキュアになるわ。そうなればお父さんとも会えるかもしれない。ねえ、そうでしょ？」

「ごめん、それは確約できないよ」

　本当に申し訳なさそうに言うコロンを見て、ゆりがクスッと笑った。

「ボク、何かおかしいこと言った？」

「そうじゃないわ。普通こういう時って、嘘でもいいから必ず会えるって言うものじゃないの？」

「そ、それは……」

「正直な子ね、気に入ったわ。あなたが私をプリキュアにしてくれるのね」

「ボクは今すぐにでも君をプリキュアにしたいさ。でも君をプリキュアにすることに大反対している人物がいるんだ。キュアフラワーがね……」

「キュアフラワー？」

「50年ほど前、『砂漠の使徒』が何度目かに来襲した時、その刺客のすべてを倒し、『砂漠の使徒』史上最強と言われたデューンを破ってこの星を守ったプリキュアのことだよ」

「そんなこと教科書にも載っていないわ」

「そうだろうね。キュアフラワーは人目を避けて『砂漠の使徒』たちと戦っていたし、その強さはプリキュア史上最強と言われていたから、人々が気づく前に敵を倒すことが多かったんだ」

「50年ほど前ってことはお父さんもお母さんもまだ生まれていない時代ね……」

ゆりが呟(つぶや)くように言うと、コロンがニヤリと微笑み、

「でもキュアフラワーは生きているよ。君がよく知っている人物さ」

「私が知っている人⁉」

ゆりが驚愕してコロンを見た。

「希望ヶ花の植物園の園長、花咲薫子さ」

「薫子さんが……⁉」

ゆりはさらに大きな驚きの声を上げた。


花咲薫子はぬいぐるみ館の中でダージリンを飲みながらコッペに語りかけていた。

「あれから1週間になるけど、コロンはどうしているのかしら？」

「………」

コッペはいつものように無表情でボーッと立っているだけだ。

「プリキュアにふさわしい娘は他にも必ずいるなんて言ってしまったけど……そう簡単に見つかるわけがないわよね」

薫子が呟いた時、突然コロンが目の前に現れた。

「見つかったよ、キュアフラワー」

「コ、コロン……⁉　本当なの？」

「勿論だよ。入ってきて！」

コロンが入り口に向かって叫ぶと、ドアが開いて、月影ゆりがゆっくりとした足取りで入ってきた。

「ゆりちゃん⁉」

薫子は驚きの声を上げると、コロンを睨みつけた。

「どういうこと、コロン？　あなた、この1週間新しいプリキュア候補を探していたんじゃなかったの？」

「ゆり以外にプリキュアになれる女の子はいない。1週間慎重に観察して、ボクは確信したよ」

「コロン……！」

　さらに、薫子が言葉を続けようとした時、ゆりが口を開いた。

「薫子さん、話はすべてコロンから聞きました。私がプリキュアになって、『こころの大樹』を守っていれば、いつか父に会えるかもしれません。どうか、私にプリキュアをやらせてください」

　薫子は小さく息を吐くと、真剣な表情に変わり諭すようにゆりに言った。

「ゆりちゃん、生半可な考えでプリキュアになることは危険だわ。命さえ落としかねないのよ」

「それは分かっているつもりです。でも、薫子さんがキュアフラワーになって、『砂漠の使徒』から『こころの大樹』を守ったように、私も守りたいんです。お願いします！」

　ゆりの澄みきった双眸に見つめられて、薫子は戸惑ってしまった。その表情からは相当な覚悟がひしひしと伝わってくる。

　――この娘は本気だ。

　だが、ここで許してしまったら、これから続く『砂漠の使徒』たちとの過酷な戦いで命を落とすこともある。薫子はゆりの母親を悲しませることは絶対にできないと思う。そこで、ある提案をした。

「ゆりちゃんの気持ちはよく分かったわ。でも、プリキュアとして、『砂漠の使徒』と戦うには戦い方を会得しなければならないわ。戦い方は私が教える」

「薫子さんが？」

　ゆりは冷静を装っているが、明らかに動揺している。薫子は元プリキュアといっても、歳は65に近いのだ。その様子を見ていたコロンがニヤリと笑い、言った。

「ゆり、キュアフラワーを甘く見ない方がいい。言っとくけど、ウン十年前に、彼女は並みいる有段者を破って史上最年少で全日本の空手選手権で優勝しているんだ」

「そ、そうだったんですか……」

「私が空手をやっていたのを知っている人は、ほんのごくわずかしかいないわ。ゆりちゃんのお父さんだって知らないと思うわ」

　薫子は微笑みながら言った。

　言うまでもなく、『砂漠の使徒』の首領デューンとの死闘で、二度と空手の試合に出られない体になってしまったのだ。引退を余儀なくされた薫子は、植物学の道に入り現在に至っているが、空手の基礎はまだ教えられる自信はあった。

　厳しく教えれば、ゆりが音を上げてプリキュアになることを諦めると、内心は思っている。

「もし厳しい稽古に耐えられたら、あなたがプリキュアになることを認めるわ」

　薫子が言った。

　その口角がわずかに上がったのを、ゆりは見逃さなかった。

翌日、ゆりは陸上部の顧問をしている矢部先生に退部届を提出した。

矢部は猛反対したが、ゆりの決意は翻らなかった。ゆりの才能を誰よりも知る矢部は、来月行われる全国大会が終わってからでも遅くはないと提案したが、無駄であった。

矢部はゆりが陸上部に入部した時から、将来日の丸を背負う短距離ランナーになると期待しており、100メートル走の他に、200メートル走の練習も勧めた。だが、ゆりは頑として100メートル走に拘り、200メートル走は拒否した。

中学1年生だというのに、「二兎を追うものは一兎をも得ず」という諺を出して、自分は不器用な人間だから、100メートルだけに集中したいと申し出たのである。

矢部はその時のゆりの顔を今でも覚えている。一度決めたことは、何があろうと絶対に変えない。その凛とした表情に、矢部は強く心を打たれて、その後200メートル走を勧めることはなかった。

――あの時と同じ表情だ。

矢部は諦めて、ゆりの退部を認めた。

職員室から去ろうとするゆりを呼び止め、矢部は退部理由を尋ねた。

「一身上の都合です」

ゆりは口元に笑みを浮かべて答えて出ていった。

「一身上の都合ねえ……」

矢部は苦笑したが、まさかゆりがこれから茨の道に踏み出そうとしていることなど知る由もなかった。

ゆりはその足で植物園を訪ねて、陸上部を辞めたことを薫子に報告した。

薫子はゆりの並々ならぬ決意に驚いたが、すぐに冷静になって今後の空手の稽古のスケジュールを話し合った。

朝はゆりが登校する前の1時間、午後はゆりが下校してからの2時間、土曜日と日曜日は昼から夕方までと決まった。

それからというもの、その時間帯はぬいぐるみ館を閉じて、コッペがいつも立っている裏のスペースで、道着を着た二人は連日猛稽古を続けた。

薫子の思惑は完全に外れた。

ゆりは激しい稽古に音を上げるどころか、真綿(まわた)が水を吸い上げるように、薫子が教える空手の形をすべて吸収していった。

空手の形とは、「受け」、「突き」、「蹴り」などを決められた順番に繰り出すことで、流派によって多少呼び方が違うが、「平安(へいあん)」、「鉄騎(てっき)」、「抜塞(ばっさい)」、「観空(かんくう)」、「慈恩(じおん)」、「燕飛(えんぴ)」が基本の形となっている。

ゆりはたった1ヵ月の稽古で、六つの基本の形をマスターしてしまった。

薫子は次に接近戦で効力がある掌底打ちを繰り返し教えた。陸上で鍛えた瞬発力もあり、瞬時に間合いを詰め、至近距離から掌の手首に近い部分で相手の急所を狙う掌底打ちは、ゆりにはピッタリの技だった。

この技でさえ、ゆりは2週間ほどで自分のものとしてしまった。薫子が完全に受けても、ゆりの掌底の一撃で吹っ飛ばされることもたびたびあった。

――音を上げるのはゆりちゃんじゃなくて、私の方ね。

薫子は口には出さなかったが、ゆりの空手の才能に完全に脱帽するしかなかった。

その日の稽古が終わり、シャワーを浴びてぬいぐるみ館に戻ってきたゆりに、薫子は静かな口調で言った。

「ゆりちゃん、私ももう若くはない。空手をもっと教えてあげたいのは山々なんだけど、私の体がついていけないの。明日からは『明堂院流古武道』道場で稽古をつけてもらいなさい」

「明堂院……もしかして」

「そう。あなたが通っている学校の創立者、明堂院厳太郎さんが師範の道場よ。彼とは昔からの知り合いでね、あなたのことを話したら、稽古に参加していいって言ってくれたわ」

「………」

　ゆりは新しい道場に通えるだけの費用を、母に出してもらうわけにはいかないと思い、返事を躊躇(ためら)っていた。薫子は察して言った。

「お金のことなら心配ないの。私を超える才能の持ち主かもしれないって、あなたのことを話したら、特待生として道場で受け入れるって言われたのよ」

　それでも、ゆりは自分に気を遣ってくれる薫子に対して、心苦しい思いでいっぱいだった。薫子は逡巡(しゅんじゅん)しているゆりを見ながら続けた。

「明堂院流は、合気道が基本の武術でね、空手にはない、相手の技を人間の体内にある『気』を使って受け流したり、投げ飛ばしたりする技が取得できると思うわ」

　薫子との稽古で空手の面白みが分かってきたゆりは、自分の体がうずいているのを感じた。格闘家としてもっと高みを目指せば、薫子はプリキュアになることを許してくれると思い、

「……分かりました。私、入門します」

「そう。よかったわ」

　じつは、薫子は99％ゆりをプリキュアにしてもいいと考えるようになっていたが、依然として１％躊躇うものがあることも感じていた。ゆりは真面目すぎるのだ。けっして真面目であることが悪いとは思っていない。その真面目さゆえに、１ヵ月半という短期間で空手の基本をマスターしたのだから。しかし、ゆりは真面目すぎて、心に余裕がないのだ。

これは、言葉で説明してもなかなか理解できるものでない。空手が『動』の格闘技なら、明堂院流の基本となっている合気道は『静』の格闘技といってよかった。『静』の間合いを身につければ、おのずと心の余裕が生まれると考えて、薫子はゆりに明堂院流への入門を勧めたのである。

だが、ゆりが明堂院流の道場の門をくぐることはなかった。

翌日、ついに『砂漠の使徒』が動き始めたからだ。

いつもは植物園の職員と昼食を共にしている薫子だったが、たまたま蕎麦(そば)が食べたくなり、近くの蕎麦屋に入った。

店内はほぼ満席で、薫子は注文した天ぷら蕎麦を待つ間、カウンターの上に置いてあるテレビのニュースを観ていた。

すると、突然画面が砂嵐状態になった。続いて、ニュースとは別の映像が流れだした。薄暗闇の洞窟(どうくつ)のような背景の中に、玉座(ぎょくざ)のような椅子に座る仮面の男と、その前に女が一人、男が二人現れた。女がカメラの前に近づいてきたのか、顔のアップとなった。長い髪を一つのシニヨンにまとめており、金の衣装を身に纏(まと)った24～25歳の女は、不敵な笑みを浮かべながら言った。

「私たちは『砂漠の使徒』よぉん。キュアフラワー、あなたが生きているのは分かっているわぁん。気配を消したみたいだけど、大体どの辺に住んでいるか、もう摑んだわよぉん。これから、あなたのペンダントを貰いに行くから覚悟しておいてねぇん」

再び、画面が砂嵐状態になると、次の瞬間、何事もなかったようにニュース番組が流れだした。

「今のは何だったんだ？」

「誰かが悪戯で電波ジャックでもしたんじゃないの」

テーブル席の若いカップルが声を上げたが、他の客たちは首を傾げながら、さして興味も示さず、蕎麦を食べ始めた。

ただ一人、顔面蒼白で観ていた薫子が、胸のペンダントが何も反応していないことを確かめると、カウンターの奥に向かって叫んだ。

「ご主人、急用を思い出したの。お代はここに置いておくわ！」

薫子は素早く代金を置くと、出口へ向かった。

「お客さん、もうできますけど」

と、蕎麦屋の店主が店内を見回した時には、すでに薫子の姿はなかった。

薫子は植物園へ走りながら、『砂漠の使徒』の女の言葉の意味を考えていた。

3ヵ月ほど前に、ペンダントが輝いたのは、間違いなくデューンが地球に接近してきたからだ。すぐにコッペに結界を張らせて、自分の居場所を分からなくしたつもりだったが、デューンは大まかな位置を特定したのだろう。

では、なぜ襲ってこなかったのか？

考えられる理由としては、デューン自身がキュアフラワーとの死闘でまだ体が完全に回復していないため、自分の魔力が封じ込まれているペンダントの存在と位置を確認しにきて、いったん地球を離れ、ペンダント奪回の策を練っていたのだろう。その結果、電波ジャックの映像に映っていた四人の『砂漠の使徒』を送り込んできたに違いない。

50年ほど前も、デューンは地球を砂漠化するために、幹部を次々と送り込んできたことを考えれば、先程の四人の『砂漠の使徒』は新しい幹部なのだろう。

自分がすでにプリキュアになる能力を失った以上、新しいプリキュアに『砂漠の使徒』の野望を粉砕してもらうしかない。

薫子は植物園のぬいぐるみ館に飛び込むと、コッペに向かって叫んだ。

「『砂漠の使徒』が動きだしたわ。コロンに連絡してゆりちゃんをここに連れてきて！」

コッペは瞬きをして頷くと、目を閉じた。そしてテレパシーでコロンに連絡した。

15分後、コロンを伴ったゆりが駆け込んで来た。

「ゆりちゃん、プリキュアになることを反対している場合ではなくなったわ。コロン、ゆりちゃんに『ココロパフューム』を渡して」

「はい！」

コロンが右手をゆりに差し出すと、掌に香水瓶のようなアイテムが出現した。

ゆりが『ココロパフューム』を掴んだ瞬間、強烈な聖なる光がその中心から溢(あふ)れ出し、その光に包まれた体が制服姿から純白のワンピース姿に変化する。

「やっぱり、ゆりはプリキュアに選ばれし者だったんだ！」

コロンは興奮して言った。薫子も頷き、続けた。

「ゆりちゃん、『ココロパフューム』を軽く振ってみて」

ゆりが言われた通り振ると、『ココロパフューム』の上部がスライドして、丸い窪(くぼ)みが現れる。

「よーし、『プリキュアの種』いくぞ！」

コロンの胸のハートマークから丸い『プリキュアの種』が飛び出す。

ゆりはそれをキャッチして、『ココロパフューム』の窪みに嵌(は)め込むと、再び振って元の形に戻す。

「『プリキュア！　オープンマイハート！』って言って、香水を体に振りかけていけば、プリキュアになれるよ」

ゆりはコロンの言葉に頷くと、『ココロパフューム』を構えて、

「プリキュア！　オープンマイハート！」

と叫ぶと、まずは香水を胸の辺りに振りかけた。銀色と藍色を基調とした斬新なロングドレス風のコスチュームに変わっていく。スカートの部分は前が大胆に開き、後ろにかけて徐々に長くなっているトレーンタイプである。続いて、右腕、左腕の順に香水をかけると、右腕には二の腕までの長くて薄い藍色の手袋が、左腕には手首に銀色と藍色の装飾を施した腕輪が現れた。そして、両足に振りかけると、白い編み上げ風のブーツが装着された。最後に髪に振りかけると、前髪が三日月のように左上がりに伸び、藤色のロングヘアになり、藍色の薔薇の髪飾りが現れて、変身が終了した。

その美しい姿に、薫子は微笑み、コロンは感嘆の口笛を吹いた。

「プリキュアの名前をつけないといけないわね」

「名前なら、もうコロンと相談して決めてあります」

ゆりはそう言い、左肩の前で両手を蕾のような形にして、ゆっくり開きながら、

「月光に冴える一輪の花　キュアムーンライト！」

と、優雅で凜々しい決めポーズを取った。キュアムーンライトの誕生の瞬間である。

「キュアムーンライト……！　素敵な名前ね。でも、どうして、月の光なの？」

薫子の問いに、キュアムーンライトは少しはにかみながら答えた。

「私、ベートーヴェンの『月光』という曲が好きなものですから」

「ゆりちゃんらしいネーミングね。あとはデザトリアンを浄化する方法を覚えれば……」

と、薫子が言いかけると、

「大丈夫。それも教えてあるよ」

コロンがウィンクをした。

「さすが、コロンね。準備がいいこと」

薫子は苦笑したが、ゆりとコロンが短期間でパートナーの絆を深めていたことを頼もしく思った。

その時、コッペが小さな呻き声を上げた。続いて、コロンの表情も険しくなり、

「『砂漠の使徒』の気配を感じる！　それもそんなに遠くないよ！」

薫子が緊張した顔で頷いた。

「キュアムーンライト、行くわよ！」

「はいっ」

「みんな、コッペに摑まって！」

全員がコッペの体にしがみ付いた。

刹那、スッとコッペの姿が消えた。

コッペが瞬間移動で到着した場所は、希望ヶ花駅の脇の駐車場であった。

駅前の方から人々の悲鳴が聞こえてきた。

キュアムーンライトたちが駐車してある車の陰から駅前を見ると、『砂漠の使徒』の兵士、スナッキーたちが通行人たちを追いかけて、殴る蹴るの暴挙に出ていた。陣頭指揮を執っているのは先程電波ジャックの映像に映っていた女だった。

「おまえたち、手緩いったらありゃしない！　このサソリーナ様が人間どもを恐怖のどん底へ突き落とす見本を見せてあげるわぁん！」

サソリーナと名乗った女は、周囲を見渡した。すると、駅構内の売店で恐怖に震え上がっている中年女性に視線が止まった。ゆりの母親の春菜だった。

サソリーナの目が金色に妖しく輝くと、春菜の『こころの花』を透視した。三つの黄色い菜の花だが、一つが萎えて今にも茎が折れそうだ。

「ふふふ、『こころの花』をうまい具合に萎えさせている女、見ーつけた！」

サソリーナはバッと両手を春菜に向かって突き出して、

「『こころの花』よ、出てきてぇん！」

すると、春菜の足元から光が数条放出された。春菜の悲鳴が響いたかと思うと、閃光とともにその姿は消え、逆さになった八角錐のクリスタルとその先端についたクリスタルの球体に変わり、サソリーナの前に飛んできた。

八角錐のクリスタルの中には萎えた『こころの花』、球体の方には気を失った春菜が小さくなってうなだれていた。

サソリーナは八角錐から球体をバキッと剝がすと、

「こっちはいらないわぁん」

放り投げた。

地面に落ちて転がった球体が突然止まった。すぐに宙に浮かぶと、急速に駐車場の方に飛んで行った。

球体はキュアムーンライトの前で止まり、同時にそれを持ったコロンが現れた。

「女性の悲鳴が聞こえたみたいだったけど……」

キュアムーンライトが言うと、コロンは球体をその目の前に突き出した。球体の中のぐったりしている母の姿に、キュアムーンライトは絶句した。

「は、春菜さん!!」

言葉を発したのは薫子だった。

「キュアムーンライト、君のお母さんは『こころの花』を奪い取られたんだ！　このまま放っておくと、『こころの花』は枯れて、君のお母さんはこの球の中で一生閉じこめられたまま弱っていくしかないんだ」

コロンが言うと、キュアムーンライトの肩が怒りで震えだした。

「キュアムーンライト、怒りだけで戦うのは危険よ。お母さんを救うことだけ考えて、冷静に戦うのよ」

薫子の言葉に、キュアムーンライトの震えがピタッと止まった。

「母の『こころの花』は私が守ります！」

落ちつきを取り戻したキュアムーンライトが駅の方に向かって駆けだした。

そのスピードに、キュアムーンライト自身が驚いた。

――これがプリキュアの脚力⁉

瞬時に人々を追い回すスナッキーたちを突きや蹴りで粉砕すると、サソリーナの前に立った。

「だ、誰よぉん、あんた？」

サソリーナが驚きの声を上げた。

「『こころの大樹』とすべての人々の『こころの花』を守るために誕生したプリキュア！キュアムーンライト！」

「プ……プリキュアですって⁉」

サソリーナは激しく動揺したが、すぐに落ちつきを取り戻して、

「『砂漠の使徒』が地球を奪いに来る時、必ず現れるというのは本当だったようね」

「その『こころの花』を返しなさい！」

「ふふふ、それはできないわぁん」

「ならば、力ずくで奪い返すのみ！」

キュアムーンライトが瞬時に接近して、得意の掌底打ちを放った瞬間、サソリーナの姿が消えた。

「えっ⁉」

キュアムーンライトが周囲を見回すと、近くの郵便ポストの背後にサソリーナが現れた。

「デザトリアンのお出ましよぉん！」

と、サソリーナが叫ぶと、春菜の『こころの花』が入ったクリスタルと郵便ポストが交差した。激しい閃光とともに巨大化した郵便ポストに手足が生えた魔物、デザトリアンが誕生した。

「おまえの力、見せてもらうわよぉん！　デザトリアン、やっちゃって！」

デザトリアンは咆哮(ほうこう)を上げると、いきなりその足でキュアムーンライトを踏み潰そうとした。キュアムーンライトは素早くジャンプして躱(かわ)した。瞬時に50メートルほどの高さまで舞い上がっていた。

——跳躍力も想像以上！　これがプリキュアの能力なのね！

キュアムーンライトは胸の高鳴りを感じるとともに、余裕が生まれた。

こちらを見上げているデザトリアンを目がけて急降下していくと、素早く反転して、両足でデザトリアンの腹にキックを浴びせた。

デザトリアンは悲鳴を上げ吹っ飛ぶと、駅の建物の壁に激突した。

その前に着地したキュアムーンライトがさらに攻撃を加えようと近づこうとした時、蹲(うずくま)っていたデザトリアンが腹の底から絞り出すように喋(しゃべ)り始めた。

「なぜ連絡をくれないの？　……あれほど頻繁に連絡をしてくれていたのに……」

キュアムーンライトの動きが止まった。戦闘中に突然発したデザトリアンの意味不明の言葉に戸惑ったのだ。

デザトリアンは立ち上がりながらもさらに続けた。

「ゆりちゃんだって、どれほど心配していることか……」

自分の名前が出てきたことで、キュアムーンライトはデザトリアンが母の心の叫びを代弁していることに気づいた。

「何つまんないことぼやいてるのよぉん！　さっさとプリキュアを倒しなさいよぉん！」

サソリーナの叱責に、デザトリアンの目が鋭くなり、

「喰(く)らえっ！」

と、郵便物を爆弾に変えてポストの口から吐き出した。

キュアムーンライトはとっさに後方宙返りで躱したが、爆発のためその煽りを受けて吹っ飛んだ。

「ははははは、大したことないじゃない！　もっともっとぶっ放すのよぉん！」

デザトリアンは呻き声を上げると、

「あなたがいない生活なんて耐えられないわ！　早く帰ってきてよ！」

叫びながら郵便爆弾を連射した。

母の悲痛な想いを聞くようで、キュアムーンライトは躱すだけで攻撃できずにいた。

見兼ねたコロンが飛んできて、

「君のお母さんを助けるには、デザトリアンを浄化して『こころの花』を取り戻すしかないんだ。お母さんの『こころの花』が枯れてしまわぬうちに倒すんだ」

キュアムーンライトは頷くと、デザトリアンを睨みつけた。

「あなたが吐き出した手紙やハガキの中には、人々の想いが籠もったものもあるはず。それを爆弾に変えて台無しにするなんて許せないわ！」

言い終わった瞬間、デザトリアンに急接近して、強烈な突きと蹴りを浴びせた。

相当なダメージを受けたデザトリアンは立っているのが精一杯だった。キュアムーンライトはその腕を摑むと、空高く投げ飛ばした。同時に自分もジャンプして、デザトリアンを追い越すと、反転して急降下しながら拳を振り上げ強烈な突きをデザトリアンの腹に打ち込んだ。

デザトリアンは悲鳴を上げ、地面に激突してめり込んだ。

もはや、デザトリアンに起き上がる力は残っておらず、這い上がることもできなかった。

「今だ！　ムーンタクトで浄化するんだ！」

コロンの声に頷いたキュアムーンライトは、

「集まれ花のパワー！　ムーンタクト！」

と叫ぶと、肩の花のエンブレムが輝き、右手にムーンタクトを出現させた。ムーンタクトの先端部には大きいクリスタルが装着され、中央のやや太くなった部分はクリスタルドームで、花のパワーが凝縮されて入っており、その力によりデザトリアンを浄化して、『こころの花』を摘出することができるのである。

キュアムーンライトはムーンタクトを構えると、

「花よ輝け！　プリキュア・シルバーフォルテウェイブ！」

タクトを振り下ろすと、先端のクリスタルから銀色の花の形をしたエネルギー弾が飛び出した。

エネルギー弾がデザトリアンの腹に命中すると、体全体が聖なる光に包まれて、宙に浮かび上がった。

「はあああああ！」

という気合の声とともに、円を描くようにムーンタクトを回すと、聖なる光がさらに輝きを増し、浄化を開始した。

デザトリアンの表情が柔和になり、光の粒子となって消えていくと、春菜の『こころの花』が入ったクリスタルが残った。

キュアムーンライトは素早くクリスタルを摑み、中の菜の花が枯れていないことを確認して、ようやく安堵の息を吐いた。

その様子を見ていたサソリーナは激怒して、キュアムーンライトの背後の噴水の像の上に瞬間移動すると、束ねていた髪の毛を振りほどいた。

「はっ！」

髪が急速に伸びると、三つ編み状に変化しながらキュアムーンライトに襲いかかり、その首に巻きついた。

「コロン、これを頼むわ！」

『こころの花』が入っているクリスタルをコロンに託すと、自分の首に巻きつく髪を摑んだ。

「ふふふ、よくもやってくれたわね。髪の先にはたっぷり猛毒を含んだ針がついてるのよぉん。一刺しでゴートゥヘブンよぉん！」

髪の毛の先端のサソリの尻尾のようになっている部分が、キュアムーンライトの喉元を狙って動きだした。

だが、キュアムーンライトは全く動ずることはなく、

「人の心を弄ぶ『砂漠の使徒』に負けるわけにはいかない！」

素早く右手で手刀を作り、一閃させた。蛇のように長く伸びたサソリーナの髪が寸断され、キュアムーンライトの首に巻きついていた髪の部分が毒針とともに、地面に落ちた。キュアムーンライトはさらに寸断したもう一方を摑むと、ハンマー投げの要領でスイングした。

自分の髪に引っ張られてサソリーナも宙を回転する。

「きゃあああ、何すんのよぉん！」

次の瞬間、キュアムーンライトが手を放すと、目を回したサソリーナが吹っ飛び、近くのビルの壁に激突した。

ヒビが入った壁にめり込んだサソリーナは唇を噛みしめると、

「今日は挨拶に来ただけよぉん。次に会う時は容赦しないわぁん。覚えてらっしゃい」

負け惜しみたっぷりに言い、瞬時に姿を消した。同時に倒れていたスナッキーたちも消えた。

「いいぞ、ムーンライト。ん……『こころの種』が生まれる」

コロンはキュアムーンライトに背を向け、尻尾を振ると、ニワトリが卵を産むように黄色い小さなコイン状の『こころの種』を産み出した。

キュアムーンライトがそれをキャッチすると、掌の中で一瞬輝いた。

「え……？」

キュアムーンライトが掌を開くと、『こころの種』は消えていた。

「『こころの種』は？」

「心配ない。コッペ様に持ってもらっている『ココロポット』の中に入っているよ」

コロンが微笑みながら言った。

キュアムーンライトが駐車場を見ると、薫子が手招きをしている。

駅やその前のロータリーの周辺には、野次馬たちが集まってきた。

キュアムーンライトは素早く駐車場に駆け寄ると、薫子の指示に従い、コッペの体にコロンとともに抱きついた。

その瞬間、コッペの姿がスッと消えた。


月影春菜が意識を取り戻したのは、植物園のぬいぐるみ館の中であった。

「お母さん、大丈夫？」

プリキュアから元の姿に戻ったゆりが声をかけた。

「ゆりちゃん……！」

長椅子に横たわっていた春菜が体を起こすと、ゆりの横にいた薫子が微笑み、

「やっと気が付いたようね。春菜さん、怪我はない？」

「園長さん⁉　ご無沙汰しております」

春菜は会釈したがすぐに小首を傾げて、

「私……どうしてここに？」

薫子がゆりにウィンクをして言った。

「希望ヶ花駅前で大きな騒ぎがあってね、私が駆けつけると、春菜さんが売店の前で倒れていたの。そこへ、ゆりちゃんも駆けつけてきて二人でここに運んできたのよ」

「そうだったんですか……私、何も覚えてなくて……ご迷惑をかけてすみません」

春菜は薫子に頭を下げた。

「どうやら、怪我もないみたいだし、ゆりちゃん、お母さんと家に帰ったら」

「はい。それじゃあ」

ゆりは薫子に一礼をして、テーブルの上でぬいぐるみのフリをしているコロンを抱いた時、「あっ」と春菜が小さな声を上げた。

「どうしたの、お母さん？」

「売店の引き継ぎをしてなかったわ。ゆりちゃん、駅まで行ってくるわ」

「分かったわ。私も付き合う」

「ありがとう。そうだわ。今晩は久しぶりに外食にしましょうよ」

春菜は笑顔で見ていた薫子に一礼すると、ゆりと去っていった。


駅に向かう道すがら、ゆりは春菜の心が和んでいるのを感じていた。

「お母さん、今日は何かいい事でもあったの？」

「別にないけど、ただ……」

と言いかけて、春菜は口を閉じた。

「ただ、何よ？」

「ゆりちゃんに笑われるから言わない」

春菜は少女のような笑みを浮かべて言った。

「笑わないから教えてよ」

「本当に？」

「絶対笑わないわ」

「そう？　あのね、私、気を失っている間、夢を見ていたの」

「どんな夢かしら？」

「私がね、郵便ポストになってね」

「えっ⁉」

ゆりが驚いて、足を止めた。春菜は少し驚き、ゆりを見た。笑っていなかった。

「あら？　笑わないのね」

「それで、どうしたの？」

ゆりが動揺を抑えながら尋ねると、春菜はクスッと笑い、

「ちっとも連絡をくれないお父さんの悪口を言いまくって暴れるの」

ゆりは春菜が楽しそうに話すのを見て、そのデザトリアンを倒したのが自分だと母が知らないことに安心した。

「それより、最近そのぬいぐるみ、よく持っているわね。どうしたの？」

春菜の言葉に、今度はコロンがドキッとする番だ。

「ファンシーショップに飾ってあったんだけど、何となく気に入って買っちゃったの」

「そう。まさかゆりちゃんにそんな趣味があったとはねえ」

春菜がまた少女のような笑みを浮かべてゆりからコロンを取り上げると、その顔をまじまじと見た。

「あんまりかわいくないわねえ。お母さん、もっとかわいいぬいぐるみ買ってあげようか？」

ゆりは思わず吹き出しそうになったが、コロンが春菜に分からないように自分を睨んで

いるのに気づいた。

「私、女の子が誰でも好きになりそうなかわいらしいのは苦手なの。これくらいのちょっと生意気そうなのがいいのよ」

そう言って微笑むと、春菜からコロンを取った。

「そう言えば、ゆりちゃんは前からそんなところがあったわね」

そんな他愛のない会話をしている間に、二人は駅に到着した。

事件を知った警察関係者や報道陣でごった返す中、春菜は勤務先の売店に行き、遅番の同僚に事情を話し、何やら謝っている。

ゆりがその様子を見ていると、コロンが横目で睨みながら言った。

「生意気そうで悪かったね」

ゆりはクスッと笑い、

「お母さんもすぐに納得してくれたわよ。よかったわね、私がかわいいもの好きじゃなくって」

悪戯っぽい目でコロンを見た。

コロンも膨れっ面をして見せたが、すぐに笑みを浮かべた。

「ねえ、コロン、お母さんは夢だって言ったけど、意識を失っている間に起こったこと、覚えているものなの？」

「そうみたいだね。でも、デザトリアンの口を借りて、本心を吐き出したんでスッキリしたんじゃないのかな」

「そうか……。とりあえず、元気になってよかったわ」

「おいおい、『砂漠の使徒』との戦いは始まったばかりだ。これくらいで喜んでもらっては困るよ」

「分かっているわ。私、もっと強くなる。いつか『こころの大樹』に認められて会える日まで戦い続ける」

「その意気だ。『こころの大樹』は君を見守り続けているよ。会える日もそう遠くはないと思うよ。きっとお父さんの手がかりも教えてくれるさ」

ゆりが大きく頷いた時、春菜が戻ってきた。

「もういいの?」

「ええ。さあ、ゆりちゃん、美味しいものでも食べに行きましょう」

春菜はゆりの手を握り、歩きだした。

ゆりは久しぶりに母の手の温もりを感じて、軽やかに歩きだした。

その頃、『砂漠の使徒』のアジトでは、サソリーナが椅子に座る仮面の男に、新しいプリキュアが現れたことを報告していた。仮面の男はサバーク博士と呼ばれており、デューンから地球の砂漠化計画のすべてを任された男だ。

サバークの左右に控えていた幹部のコブラージャとクモジャキーが歓喜の表情を浮かべた。

「ブラボー！　やっぱり現れたんだね」

「それで、プリキュアはどれほど強いんじゃ？」

クモジャキーの問いに、サソリーナは視線を泳がせた。

「今日は挨拶をした程度だから、まだ何とも言えないわよぉん」

クモジャキーは薄ら笑いを浮かべた。

「おまんのことじゃき、あっさり負けて逃げ帰ってきたんじゃろう」

「じょ、冗談じゃないわよぉん！　次に戦う時、必ずこの手で始末するわぁん！」

サソリーナは素早くクモジャキーに近寄ると、その胸倉を摑んだ。

「ふんっ」

クモジャキーはサソリーナの手を振り払い、凄んだ。

「新しいプリキュアを倒すんは、この俺じゃき！」

「何言ってるのよぉん！　プリキュアを見つけたのは私よぉん！　あんたみたいな筋肉バカに出番なんかないわよぉん！」

「何じゃと⁉」

クモジャキーの鍛え上げられた胸の筋肉が怒りにピクピクと痙攣を始めた。

「いい大人がみっともない」

コブラージャが長い前髪を掻き上げると、軽蔑の笑みを浮かべながら椅子の前へ行き、サバークに向かって、

「プリキュアの抹殺はぜひこの私めに」

と胸に右手を当て、頭を下げた。

「その役目は俺じゃき！」

「私よぉん！」

クモジャキーとサソリーナがコブラージャに詰め寄ったところで、黙って聞いていたサバークの口が開いた。

「勝手な行動は許さん。次の出撃を決めるのは私だ」

そう言い捨てると、椅子から立ち上がり、部屋を出ていった。

地球征服のために、自分の右腕となる幹部の三人を誕生させたのはサバークであった。サバークはデューンがいる惑星城で最先端の技術を駆使して、『砂漠の使徒』の科学スタッフと、初めにサソリーナ、次にクモジャキー、最後にコブラージャを作り上げた。三人は、砂漠に生息するサソリ、毒蜘蛛、コブラから抽出した遺伝子を、『こころの花』がほとんど枯れかけていた男女三人を拉致して、その体に埋め込んで作り上げた人造人間で

ある。ある意味、デザトリアンと近い生物と言ってもよかった。

サソリーナはかつて保育士をしていたが、不慮の事故で預かっていた幼児を死亡させてしまい、社会的制裁を受けた後、精神に変調をきたして療養中の身であった。

クモジャキーはプロ格闘家を目指していたが、その荒々しい気性と自己中心的な考え方が災いして、どの流派からも破門され、絶望のどん底で這いずりまわっているところを拉致された。

コブラージャはファッションコーディネーターとして活躍していたが、自分より美しくないモデルを罵倒したり、自分の好みの服を作らないデザイナーと衝突したりしてファッション界から追放された辛い過去を持っていた。

サバークとしては、三幹部に期待していたが、三者三様の個性の強さが災いに転ずることを懸念していた。

自室に戻ったサバークは、生命培養装置の水槽の中で、妖しく蠢いている新たな生命体を見つめた。

胎内で成長している人間の赤ん坊のように丸まっている少女が見えるが、背中に翼のようなものが生えている。

「早く生まれてくるのだ。私の娘よ」

サバークは恍惚の目で見つめて呟いた。

第二章　キュアムーンライトの挫折

月影ゆりがキュアムーンライトになってから2年が過ぎた。

キュアムーンライトは、サソリーナ、クモジャキー、コブラージャの三幹部が次々と作り出すデザトリアンをことごとく倒して、『こころの花』を奪われた人々を救出していた。時には三幹部の一人と直接対決することもあったが、けっして負けることはなかった。

その戦いぶりは見事と言ってよく、プリキュア史上最強だと言われていたキュアフラワーの域に近づきつつあった。

その大きな要因は、キュアムーンライトとコロンのパートナーシップだと言っていい。二人はどんなに勝ち続けていても、その日の戦いぶりを分析し、反省して次の戦いの糧としていた。

明堂学園の高等部に進学して、すっかり大人びた雰囲気を醸(かも)し出すゆりと、相変わらず口は悪いが、的確に敵を分析してアドバイスを送るコロンを見守ってきた花咲薫子は満足していた。だが、ここまで連戦連勝できているのは、三幹部がまだ一度も協力し合って攻撃してこないからだとも思っていた。

薫子自身がプリキュアをやっている頃、『砂漠の使徒』の幹部が協力し合ったことにより、何度も窮地に陥ったことがあった。だが、そのたびにコッペが救ってくれたため、大事には至らなかった。

当時のコッペと今のコロンとを比べれば、コッペの方がすべての面で遥(はる)かに優れている。今は普段、ただボーッとしているだけの存在だが、いざとなったら幹部たちを倒せるぐらいの能力を持っている。

だが、コロンは成長途上の妖精であり、そんな能力はない。もし、幹部たちが一斉に襲ってきたら……。

さらに、薫子は2年前に『砂漠の使徒』が電波ジャックをした時の映像に映っていた仮面の男の存在が気になっていた。

玉座のような椅子に腰掛け、三幹部の後ろにいた仮面の男は、デューンではなかった。だが、その雰囲気から三幹部より位も戦闘能力も上の存在に間違いない。

もし、仮面の男がキュアムーンライトの前に現れたら……。

——やはり、私が辿った道と同じように、キュアムーンライトをプリキュアパレスに連れていき、試練を受けさせなくてはいけないのかもしれない。

薫子は心の中で呟いたが、すぐに首を横に振った。プリキュアの試練とは、プリキュアの力を無限に引き出すことができる『ハートキャッチミラージュ』を獲得するために、先代のプリキュアと対決して勝利しなくてはならないことだった。

薫子が『砂漠の使徒』の首領、デューンと互角に戦えたのは、あの『ハートキャッチミラージュ』のおかげだと今でも思っている。しかし、『ハートキャッチミラージュ』を手に入れたのは、薫子がプリキュアになって2年半が過ぎた時期だった。ちょうど『ココロポット』が『こころの種』で満杯になった時期でもあった。

キュアムーンライトが集めた『こころの種』はまだ『ココロポット』を満たしてはいない。

プリキュアになってまだ2年のゆりに、はたしてプリキュアの試練を乗り越えることができるのかと考えると、どうしても二の足を踏んでしまう。

勿論、今の薫子にはゆりと戦う体力がない。自分の代わりにコッペに戦ってもらうしかないと思っている。

コッペが手加減なしで戦ったら、三幹部と互角以上に戦っているゆりでも勝ち目はないだろう。薫子が先代のプリキュア、キュアローズと戦った時、彼女は今の薫子より20歳ほど若かったが、いっさい手加減なしの真剣勝負だった。まさに生死を賭けた戦いと言ってもいいくらいの激しい戦いだった。

──ようやくプリキュアの使命に燃え、精進しているゆりちゃんに挫折を味わわせるわけにはいかない。

薫子はそう思い、もうしばらく様子を見ることにした。

じつは薫子が考えたように、サバーク博士も三幹部に対して協力してキュアムーンライトを倒すように命令していたのだ。しかし、その場では了承しながら、実際は個人でしか戦わない三人に苛立ちを覚えていた。

あと1年か2年後には、デューンが地球にやって来る。それまでに地球を砂漠化しておかないと自分の命が危ないと、サバークは恐れていた。それほど、デューンは残虐な男である。

サバークは恐れと焦燥の中で、生命培養装置に少女の成長を速める操作をした。少女は急成長を遂げたが、反動として背中の翼が片翼になってしまった。人造人間とはいえ、娘と思い育ててきただけに、サバークにはそれが不憫でならなかった。

そして、ついにその少女が生命培養装置から出る時が来た。

サバークはその娘に、ダークプリキュアと名付けて、黒のゴスロリ風のコスチュームを与えた。だが、自分のことを父と呼ぶことは許さなかった。

サバークとダークプリキュアは、親子ではなく主従の関係に近かった。『こころの花』を持たないダークプリキュアは、サバークの命令に従順であった。

サバークが最初にダークプリキュアに与えた任務は、キュアムーンライトの正体を探ることだった。

以前、キュアムーンライトと戦わない幹部にその任務を与えたことがあったが、殺気があり過ぎ、妖精のコロンに感づかれて何度も失敗していた。

「おまえはキュアムーンライトと戦わなくていい。その正体を探ることだけに専念するのだ」

「はっ」

ダークプリキュアは一礼すると、退室していった。

ダークプリキュアが希望ヶ花市内に到着した時、コブラージャが作り出したデザトリアンをキュアムーンライトが倒し、『こころの花』を取り戻したところだった。

ダークプリキュアは駅から少し離れたマンションの屋上に身を潜めて、キュアムーンライトとコブラージャの様子を窺(うかが)った。

「キュアムーンライト、本当に君は美しいね。僕は美しいものを汚すのが大好きなんだ。君のその美しい顔が切り刻まれるのを見たいよ」

コブラージャが右手を軽く挙げると、指の間に四つのカードが現れた。どのカードもコブラージャがポーズを取った写真である。

キュアムーンライトは『こころの花』が入ったクリスタルをコロンに渡すと、コブラージャを睨(にら)みつけた。

「あなたも懲りない人ね。そんなカードでは私を倒せないわ」

「ふふふ、今日のカードはこれだけじゃないよ。最強のカードも持ってきたんだよ」

コブラージャは自信満々に両腕をクロスすると、左手にも新しいカードが現れた。それは海水パンツ一つでセクシーポーズを取った自分の写真だった。

「！　……」

キュアムーンライトは怒るのを通り越して、呆れた。

「あれ？　喜んでくれないのかい？」

「バカバカしい！　早く勝負をつけましょう！」

「バカバカしいだって？　レア物の僕のカードを何だと思ってるんだ！　これでも、喰らえっ！」

コブラージャは激怒してジャンプすると、左右の手から8枚のカードをキュアムーンライトに向かって投げた。

「レアカードの爆発は倍の威力があるんだ。アデュー、プリキュア！」

コブラージャがニヤリと笑った瞬間、キュアムーンライトが飛んで来るカードに向かってバッと両手を突き出した。

「ムーンライト・リフレクション！」

両手の掌が閃光すると、二つの銀色の円形のシールドが出現し、飛んで来るカードに向かって飛び出していった。

そして、キュアムーンライトは突き出したままの両手の掌で素早く円を描くと、二つのシールドも同じように円を描き、飛んできたカード爆弾をブロックした。

カードは次々とシールドに当たって爆発したが、シールドはビクともしない。

「な、何っ⁉　いつの間にそんな技を⁉」

「あなたたち、『砂漠の使徒』の幹部はまるでコミュニケーションが取れてないのね。サソリーナもクモジャキーも知っているはずよ」

「あいつら……！」

コブラージャは怒りに肩を震わせると、再び両手にカード爆弾を出現させ、キュアムーンライトに向かって投げた。

キュアムーンライトは素早くジャンプすると、左手の掌を後ろに下げ、右手の掌をコブラージャに向かって突き出した。

すると、二つの銀色のシールドが分離して、一つはカード爆弾の前へ瞬時に移動して、もう一つはコブラージャの横に移動した。

二つのシールドはキュアムーンライトの意のままに動かせるのだ。

カード爆弾が一つ目のシールドに当たる寸前にシールドの面の角度が変わった。カード爆弾は爆発せずにシールドに弾かれて二つ目のシールドに向かって飛んで行く。

「な、何⁉」

コブラージャが驚きの声を上げた時、キュアムーンライトは右手首の角度を変えた。同時に二つ目のシールドの面の角度が変わり、飛んできたカード爆弾を弾いた。カードはコブラージャに向かって飛んで行く。

「！　――」

コブラージャはとっさに逃げようとしたが遅かった。カード爆弾が次々に爆発して、悲鳴とともに、コブラージャが空高く吹っ飛んで行く。

「ムーンライト、この借りは必ず返すからね！」

負け惜しみの声を残して、青空の中へコブラージャは吸い込まれていった。

その様子を見ていたダークプリキュアは怒りが込み上げてきた。

「なんて愚かな奴なんだ。こんな幹部に任せていたら、キュアムーンライトはいつになっても倒せない。ここは私が一息に……」

と呟いた時、キュアムーンライトに寄り添っていたコロンがこちらを振り返った。

ダークプリキュアは素早く身を伏せた。

――気づかれたか？

ダークプリキュアは冷静になり、殺気を消した。

コロンの様子に気づいたキュアムーンライトが尋ねた。

「どうしたの？」

コロンはダークプリキュアがいるマンションを睨んでいたが、

「いや、とても強い気を感じたんだが、どうやらボクの勘違いみたいだ」

「コロン、早く『こころの花』を持ち主に返してあげましょう」

二人はすぐ物陰に隠れて、八角錐と球体のクリスタルを重ね合わせた。今日救出した人物は、閑職に追いやられた50歳前後のサラリーマンだった。

サラリーマンが目覚める前に、キュアムーンライトは変身を解き、月影ゆりに戻った。

そして、目を覚ましたサラリーマンにここで気を失っていたことを話して、

「もう大丈夫みたいですね。会社勤めって色々な苦労があって大変だと思いますが、これからも頑張ってください。それじゃ失礼します」

サラリーマンは一瞬ポカンとしていたが、すぐに笑顔になって、

「ありがとう」

と、去っていくゆりに頭を下げた。

ダークプリキュアは、すでにマンションの屋上から上空500メートルの地点まで舞い上がってその様子を見ていた。ダークプリキュアの視力は猛禽類より鋭く、聴力も兎並みであり、ゆりの素顔を見ることができたし、サラリーマンとの会話もすべて聞き取れた。

ダークプリキュアは自分がゆりやコロンに気づかれていないことに満足して、上空からゆっくり尾行を開始した。

そして、ゆりが植物園の職員官舎に入り、3階の部屋に入っていくのを見届けると、急降下していき、別棟の屋上に着地した。その視力で玄関脇の表札を見た。『月影英明　春

菜　ゆり』の名前を確認すると、ゆりを抹殺したいという気持ちを抑えて、『砂漠の使徒』のアジトへ戻っていった。

月影ゆりの名前をダークプリキュアの口から聞いた途端、サバーク博士は愕然となった。仮面で表情は分からないが、ダークプリキュアの目にもその動揺ぶりは分かる。

サバークは椅子に座ったまま腕組みしながら考え込んでいる。

長い沈黙が続き、堪え切れなくなったダークプリキュアが尋ねた。

「サバーク博士、月影ゆりという娘をご存知なのですか？」

「いや……」

また長い沈黙が続いた。

「私なら、たとえあの娘がプリキュアになっても倒せます。どうか、この私にキュアムーンライトの抹殺をご命令ください」

サバークはダークプリキュアに自分の動揺を悟られまいと、つとめて冷静に言った。

「それはサソリーナたちに任せておけばいい。おまえにはもっと重大な任務がある」

「キュアムーンライトを倒す以上の任務……ですか？」

「『こころの大樹』を探し出すことだ。『こころの大樹』さえ枯れさせてしまえば、プリキュアの能力も失われる」

「なるほど……！」

サバークはダークプリキュアが話に乗ってきたことに安心したのか、『こころの大樹』が水と空気が綺麗で、人が滅多に来ない場所を転々と移動していることを話した。そして、椅子の背後の壁に世界地図を映し出すと、『こころの大樹』が根を下ろしそうな候補地を赤い点で表示した。ざっと数えても５０００はある。

「これをすべて探れと？」

「そうだ。おまえなら、苦でもないだろう？」

「分かりました」

ダークプリキュアは一礼して、退室した。


ダークプリキュアはサバーク博士の命令に従い、『こころの大樹』を探し続けた。

３ヵ月目が過ぎた頃、スイスの山奥で『こころの大樹』を発見した。だが、ダークプリキュアの存在に気づいた『こころの大樹』は、周囲に煙幕でも張るように濃霧を発生させた。霧が晴れると、『こころの大樹』は周囲の土とともに忽然と姿を消してしまっていたのである。

　ダークプリキュアは血眼になって周辺を探したが、見つけることはできなかった。

「まあいい。次に会った時には必ず枯らせてみせる」

　そう呟くと、ダークプリキュアはサバークに報告するために、アジトに向かった。

　ダークプリキュアが地球の軌道上に浮かぶ『砂漠の使徒』のアジトに戻り、サバーク博士のもとへ行こうとすると、城壁の縁に腰掛け、荒涼と広がる砂漠を眺めているサソリーナを見つけた。

「またキュアムーンライトに敗れて黄昏れているのか？」

　ふいに、背後から聞こえてきた声に、サソリーナは驚いて振り返った。

「何だい、おまえか。下っ端のくせに気易く声をかけるんじゃないわよぉん！」

「ほう。私がおまえより下っ端ねえ」

　ダークプリキュアは挑発するように言った。

「ああ、ムカムカする！　ただでさえおまえの顔を見ると、憎きプリキュアを思い出してむかっ腹が立つんだよ！　とっとと消えなさいよぉん！」

　サソリーナの意外な言葉に、ダークプリキュアは戸惑った。

「どういう意味だ？」

「あら、あんた、気づいてなかったの？　髪型や髪の毛の色は違うけど、あんたの顔、キュアムーンライトとそっくりなんだよ」

「私がキュアムーンライトと……!?」

ダークプリキュアが動揺するのを見て、サソリーナはキュアムーンライトに負けた腹いせに苛めたくなった。

「ダークプリキュアって言うくらいだから、ひょっとして、あんた、キュアムーンライトのDNAを持ってるんじゃないの？」

「そんなわけがない！」

「そうかしらぁん。前に『砂漠の使徒』の科学者が言ってたわよぉん。私たち幹部は、砂漠に棲むサソリやコブラなんかのDNAを注入されてるけど、あんたを作る時、サバーク博士は御守りとかいう物の中に入れていた人間の髪の毛を使って……」

サソリーナが言い終わらないうちに、ダークプリキュアが「あっ」という小さな声を上げた。

今まで頭の中でモヤモヤと渦巻いていた霧が晴れて、視界が広がる思いだった。

——博士が私にキュアムーンライトを抹殺させないのは、私の体の中に月影ゆりという娘と同じDNAが入っているから……。そう考えれば、すべてが腑に落ちる。

ダークプリキュアはさらに考え続けた。

——すると、私と月影ゆりは姉妹のようなものなのか？

サソリーナは黙り込んでいるダークプリキュアを不審に思い、尋ねた。

「ちょっと、あんた、私の話聞いてんのぉん？」

「考えの邪魔だ！」

ダークプリキュアは軽く裏拳でサソリーナを叩いた。だが、その威力は凄まじく、サソリーナは悲鳴を上げながら砂漠の彼方へ飛んで行ってしまった。

ダークプリキュアはサソリーナのことなど見もしないで、アジトの建物へ入っていった。

サバーク博士の部屋の前に来た時、ダークプリキュアの歩みが止まった。ダークプリキュアの頭に新たな疑問が生まれた。

――サバーク博士も人間だったのか？　でも、今は『砂漠の使徒』の地球征服計画の中心で、デューン様の信望も厚い。しかし……。

そこまで考えたところで、自分の思考をストップした。サバーク博士に真意を確かめることが怖くなったのだ。サバークは父と呼ばせなかったが、地球や人間に関する様々な知識をまるで娘に教えるように話してくれた。

――サバーク博士が嫌がることはやめよう。

ダークプリキュアはそう心に決めると、サバーク博士の部屋に入り、『こころの大樹』のことだけを報告した。

それからというもの、ダークプリキュアは『こころの大樹』の捜索を続ける傍ら、希望ヶ花市を秘密裏に何度も訪れていた。

時には変装して、月影ゆりの情報を集めた。ゆりの父親がフランスで消息を絶って、すでに2年以上経っているという情報を得た時、ダークプリキュアは自分の考えが正しいことを確信した。

そして、裏付けを取るために、クモジャキーに尋ねた。

「サバーク博士は人間だったの？」

「なんで、そんなこと訊くんじゃ？」

クモジャキーが不審げに尋ねてきた。

「いや、何となく知りたいと思って」

「まあ、おまんにとってはオヤジみたいなもんじゃき、分からんこともないが、俺もよう知らんのじゃ。ただ、前にボスナッキーから聞いた話じゃが、サバーク博士は『こころの大樹』の研究者で、研究が行き詰まっていたところを、デューン様に見込まれてそのしもべになったそうぜよ」

ダークプリキュアは納得したように頷くと、そのままクモジャキーの前から去っていった。

「こらっ、礼の一つもないんか。全くかわいげのないオナゴじゃ」

クモジャキーが苦々しげに見送った。

翌日、ダークプリキュアは『こころの大樹』を探しに行くふりをして、希望ヶ花市に出陣していったクモジャキーの後を尾行した。

植物園の隣の公園で、クモジャキーが作り出したデザトリアンはいつものようにキュアムーンライトに敗れ、浄化された。

クモジャキーは直に戦うことをやめ、

「今おまんを倒す必殺技を開発中じゃ。次に会う時は必ず倒してやるきに、首を洗って待ってるぜよ」

忽然と姿を消した。

上空から見物していたダークプリキュアは、以前のコブラージャ同様にクモジャキーにも怒りを覚えた。さらに、野次馬たちから拍手喝采を浴びているキュアムーンライトを見ると、憤怒の念がふつふつと湧き上がってきた。

――サバーク博士の娘は私一人でいい。

そう考えると、ダークプリキュアは一気に急降下していった。

夫との不仲につけ込まれデザトリアンにされていた主婦に『こころの花』を戻し終えたキュアムーンライトは、凄まじい殺気を感じて頭上を見上げた。

黒い影のようなものが急接近してきた。

キュアムーンライトは、気を失っている主婦を安全な場所に避難させる暇がないと考え、迎え撃とうとジャンプした。

急降下してくるダークプリキュアのスピードは凄まじく、下からジャンプしてきたキュアムーンライトをパンチの一撃で吹っ飛ばした。

キュアムーンライトは木の幹に激突して倒れた。あまりの強烈な一撃にキュアムーンライトの頰が膨れ上がり、口から血が滴り落ちている。

それでも、キュアムーンライトは気力を振り絞って立ち上がると、その前にダークプリキュアが余裕の笑みを浮かべて着地した。

「誰だ、おまえは⁉」

「私の名はダークプリキュア」

キュアムーンライトは驚愕(きょうがく)した。

「プリキュアですって⁉」

驚いたのはキュアムーンライトだけではなかった。それは植物園の植え込みの裏から窺(うかが)っていた花咲薫子もだ。いや、さらにもう一人、薫子の背後にいた。コッペである。

「コッペ、来てくれたのね。キュアムーンライトに何かあった時には頼むわね」

薫子の言葉に、コッペは目をパチクリした。

ダークプリキュアはキュアムーンライトにゆっくり近づきながら言った。

「おまえが月の光なら、私は月の影。影が光を飲み込む時、この世は闇となり、我ら『砂漠の使徒』のものとなる」

「そんなことは絶対にさせない！」

キュアムーンライトは猛然と突進して、強烈な蹴りと突きの連続攻撃を仕掛けるが、ダークプリキュアはことごとく躱(かわ)した。

「その程度の技では私を倒すことはできない。今度はこっちが攻める番だ！」

ダークプリキュアは同様に蹴りと突きを浴びせてきた。キュアムーンライトは薫子に教わった空手の技ですべてブロックしたかに見えたが、それはダークプリキュアにとっては、単なる時間稼ぎの小技だった。

ダークプリキュアは蹴り技を繰り出しながら、掌にダークなエネルギーを溜めていて、それを一気にキュアムーンライトに向けて放った。

蹴りを受けている途中からダークプリキュアの意図に気づいていたキュアムーンライトは、そのエネルギー波の凄まじさに、両腕をクロスして防御したにもかかわらず、再び悲鳴を上げて吹っ飛んだ。

だが、地面に叩きつけられる寸前に反転して、辛うじて踏ん張って止まった。

——これまで戦ってきた『砂漠の使徒』の幹部たちとは違う。ここは！

キュアムーンライトは素早く右腕を右斜め下に伸ばした。

「集まれ花のパワー！　ムーンタクト！」

その手にムーンタクトが現れた。その時、今までずっと閉じられていたダークプリキュアの右目がカッと開かれた。左の青色の瞳と違い、金色の瞳だった。

「闇の力よ集え！　ダークタクト！」

ダークプリキュアも同じような仕草で、ムーンタクトと似た黒いダークタクトを出現させたのだ。

「そ、そんな……！」

激しく動揺するキュアムーンライトの隙を突き、ダークプリキュアが先に仕掛けた。

「プリキュア・ダークパワーフォルテッシモ！」

ダークタクトを振り下ろすと、邪悪な『*ff*』のマークが出現し、それが赤いエネルギー波となって、キュアムーンライトに向かって飛んで行く。

一瞬遅れて、キュアムーンライトも、

「プリキュア・フローラルパワーフォルテッシモ！」

ダークプリキュアと同様に『*ff*』のマークを出現させ、聖なる銀色の光のエネルギー波を放った。

赤と銀のエネルギー波がぶつかり合う。だが、先に放ったダークプリキュアのエネルギー波の方が、加速がついているため威力が強く、銀のエネルギー波は押され、キュアムーンライトの前で大爆発が起こった。爆煙が周囲を包む。

「勝った……影が光を飲み込んだ」

ダークプリキュアは呟くと、その脳裏に秘かに父と慕うサバーク博士の顔が浮かんだ。

サバークはキュアムーンライト抹殺には手を出すなと言ってはいたが、キュアムーンライトの死体を土産に持って帰れば、必ず喜んでくれるはずだ。

その場面を想像しただけで、ダークプリキュアの胸は歓喜で震えた。

「サバーク博士、待っていてください」

そう呟きながら、煙が消えるのを待った。

だが、煙が消えた後に、キュアムーンライトの姿はなかった。

「何っ⁉」

ダークプリキュアが驚愕した時、後方からたくさんのバラの花びらが風に舞いながら落ちてきた。

ダークプリキュアが振り返ると、公園内の街灯の上に、変身が解け白いドレス姿で気を失っている月影ゆりを抱いた青年が立っていた。大正時代の書生のような絣の着物に袴姿で眼鏡をかけたその青年こそ、変身したコッペであった。

「誰だ、おまえは⁉」

コッペは涼しげな表情で何も語らず、ダークプリキュアを見下ろしている。その右肩にはコロンも乗っていた。

「おのれっ！　答えぬのなら、力ずくで……」

ダークプリキュアがダークタクトを構えた時だった。

「やめろ、ダークプリキュア！」

という声とともに、サバーク博士が傍らに現れた。

「サ、サバーク博士⁉」

驚くダークプリキュアを無視して、サバークはコッペたちに向かってダークなエネルギーが充満している右手を突き出した。

同時に、コッペも左手を天に翳すと、バラの花びらのつむじ風が起こった。

すかさず、サバークがエネルギー波を放った瞬間、コッペはゆりを抱いたまま忽然と姿を消した。

エネルギー波は彼方の空で爆発した。

「博士、今の男は何者……」

と言いかけた瞬間、サバークの強烈な平手打ちが飛んできた。

ダークプリキュアは吹っ飛び、地面を転がった。

「は……博士？」

ダークプリキュアは今にも泣きだしそうな表情をしている。

「あれほどキュアムーンライトには近づくなと言ったはずなのに！　おまえという奴は！」

また平手打ちが飛んで来ると思い、ダークプリキュアは両手で頭を抱えて屈み込んだ。

だが、サバークは平手打ちはせずに、ダークプリキュアの右手首を握った。凄い力に
ダークプリキュアはサバークが激怒しているのを感じ取った。

怯(おび)えたようにダークプリキュアがサバークを見た途端、二人の姿がスッと消えた。

その様子を見ていた薫子は、仮面の男の底知れぬ恐ろしさに身震いした。

「こうしてはいられないわ」

そう呟くと、薫子はその場を足早に離れた。

薫子がぬいぐるみ館に入ってくると、ちょうどゆりが意識を回復したところだった。

「わ、私は……？　ダークプリキュアは？」

「心配ないわ。仮面の男……確かサバーク博士とか言っていた。その男とともに去っていったわ」

薫子の言葉に、ゆりの脳裏にダークプリキュアのタクトによる攻撃で、吹っ飛ばされるまでの記憶が蘇(よみがえ)った。

「ダークプリキュアって何者なんですか？」

「分からない。おそらくプリキュアに対抗するために、『砂漠の使徒』が作り出したと思うんだけど……。あなたが気絶している間に現れたサバークという仮面の男は、ダークプリキュア以上にダークなパワーを持っているわ」

「私、もうダークプリキュアにもその仮面の男にも負けません」

ゆりはダークプリキュアに殴られ、腫れ上がった頬を手で押さえながら言った。

「ゆりちゃんの気持ちは分かるけど、私が冷静に見ても、ダークプリキュアはキュアムーンライトと力は互角。サバークはもっと強いと思う」

「そんな……」

ゆりは軽い眩暈を起こしそうになった。確かに、ダークプリキュアの力は認めるが、次に会った時には負けたくないと思い、

「私、もっと強くなりたい」

ゆりが呟いた時、テーブルの上で話を聞いていたコロンが言った。

「君ならなれるよ」

「コロン……？」

コロンは微笑むと、コッペの胸のハートマークの中へ右手を突っ込み、『ココロポット』を出すと、先程主婦を助けた際に生まれた『こころの種』をその中に入れた。

「これで満杯になったよ、キュアフラワー」

コロンが差し出す『ココロポット』を受け取り、『こころの種』で満杯になっているのを確認した薫子は、ゆりを見て言った。

「ちょうどいい時が来たようね。ゆりちゃん、頬の腫れが治ったら、これを持ってプリキュアパレスに行きなさい」

「プリキュアパレス？」

「『ココロポット』に『こころの種』を満杯にした者しか行けない神聖な城よ。『こころの大樹』と人間たちの『こころの花』を守るために、あなたをより強いプリキュアに成長させてくれる場所なの」

「分かりました。私、今から行ってきます」

「慌(あわ)てないで、ゆりちゃん。プリキュアパレスに行けば、あなたにとって大きな試練が待ち構えているわ。心身とも万全な状態で行かないと、その試練を乗り越えることはできないわ」

「試練……それは何ですか？」

「私の口からは言えないわ。でも、あなたなら必ず乗り越えられるはずよ」

ゆりは頷くと、『ココロポット』を薫子から受け取り、

「腫れが引き次第、ここに来ます」

と言って、コロンとともにぬいぐるみ館を出ていった。

ダークプリキュアは再び『こころの大樹』を探す任務に就いていた。

サバーク博士に無断でキュアムーンライトと戦ってから3日が過ぎていた。その3日の間、ダークプリキュアは独房に閉じ込められていたが、今朝サバークの許しを得て自由の身となり、今は任務のために大地を覆う厚い雲の中を飛んでいる。

ダークプリキュアの頭の中で、サバークの言葉が繰り返し響いていた。

「おまえは私の右腕になってもらうために誕生したのだ。『こころの花』を持たぬおまえが、つまらぬ感情を持ってどうする！　これからは私の命令だけを遂行しろ！」

父と慕うサバーク博士の信頼を取り戻さなければと思う半面、月影ゆりに対する憎悪は倍増していた。

「次に会った時は必ず……」

と呟いた時、ダークプリキュアの閉じていた右目が見開かれた。

雲間にゆっくり飛ぶ『こころの大樹』を発見したのだ。

ダークプリキュアはただちにサバークに連絡すると、『こころの大樹』に気づかれぬように遠く距離を置いて追跡を始めた。

同じ頃、すっかり頬の腫れが引いた月影ゆりは植物園のぬいぐるみ館を訪ねていた。

ゆりの顔を見て、薫子が言った。

「腫れも治まったようね」

「はい、これからプリキュアパレスに行ってきます」

「その前に……さっき、『こころの大樹』の声が私の心に届いたの。あなたに会いたいそうよ」

「もしかしたら、お父さんについて何か情報を頂けるのかしら？」

ゆりの表情が明るくなった。

「それは私には分からないけど、悪い知らせではないと思うわ」

「分かりました。でも、どうやって行けば……？」

「『ココロポット』をコッペの胸に当てれば、聖なる光が『こころの大樹』のもとへ運んでくれるわ」

ゆりは薫子の指示通りに、『ココロポット』をコッペの胸に当てた。刹那（せつな）、白い光がゆりとコロンの体を包み込むと、閃光（せんこう）と同時に二人の姿が消えた。

薫子は満足そうに頷くと、コッペを見て言った。

「コッペ、私たちは先にプリキュアパレスに行って、待っていましょう」

コッペが目をパチクリすると、薫子はその胸にしがみついた。次の瞬間、二人の姿がスッと消えた。

「こ、これが……『こころの大樹』！」

目の前に聳え立つ『こころの大樹』を見上げながら、ゆりが感嘆の声を上げた。

『こころの大樹』はいくつも枝分かれしており、その一つ一つの枝には青々とした葉が生い茂り、無数の色とりどりの花を咲かせていた。まさに地球上のすべての生命の源だと思わせる神々しさがあった。

その時、『こころの大樹』の根元の洞が輝き、淡いピンクとブルーの光が飛び出してきて、ゆりとコロンの前で止まると、小さな妖精が現れた。

「コロン、久しぶりですぅ」

耳が立っている妖精がコロンを見て言った。

「元気にしてたですか？」

耳が垂れた妖精が続けて言った。

コロンは微笑み、ゆりに二人を紹介した。

「二人はボクと同じように『こころの大樹』から生まれた妖精で、シプレとコフレだよ」

「はじめましてですぅ。ワタシがシプレですぅ」

　耳が立っているシプレが自己紹介すると、すぐに耳が垂れているコフレも続けた。

「ボクがコフレです。キュアムーンライトの活躍は『こころの大樹』と一緒にずうっと見ていたです」

「キュアムーンライトはとっても強いですぅ」

「ありがとう。こちらこそよろしくね」

　ゆりは二人を抱いて、優しく頭を撫(な)でた。

「コロンと違って、かわいいわね」

　と、ゆりが悪戯っぽい笑みを浮かべて言った。

「おいおい、どうせボクはかわいくないよ。悪かったね」

　コロンは拗ねたフリをしたが、すぐに笑顔になり、

「コフレとシプレはボクと同じように『ココロパフューム』を持っているんだ。だから、君の仲間として、あと二人新しいプリキュアを誕生させることができると思うよ」

「ワタシたちもキュアムーンライトの役に立ちたいですぅ」

「『こころの大樹』がキュアムーンライトを呼び寄せたのはそのためなんです」

「そうだったの……」

　父の情報が得られると思っていたゆりはちょっと失望して、シプレとコフレを放して背

を向けた。

「ムーンライト、仲間が欲しくないの？」

コロンが尋ねると、ゆりは背を向けたまま答えた。

「一人で十分よ。キュアフラワーだって、一人で戦って、『砂漠の使徒』の首領デューンを破ったんでしょう？」

「そうだけど……あの時と状況が違うよ。サバーク博士とダークプリキュアがいるんだよ」

「大丈夫よ。私は誰にも負けないわ！」

ゆりは振り返って、微笑んだ。

「でも……」

シプレとコフレが何か言おうとしたが、コロンが制した。コロンはゆりの表情から、考えを変えないことを悟ったからだ。たった一人で『砂漠の使徒』と戦ってきたゆりは、好きだった陸上を辞め、いつ襲ってくるか分からない敵にたえず神経を研ぎ澄ましていた。それは、16歳の娘には過酷なことだと、コロンは思う。だから、ゆりは自分と同じような苦労を誰にもさせたくないのだろう。ゆりの優しさに、コロンは心から頭が下がる思いだった。

「分かったよ、ゆり。二人でプリキュアパレスに行って、もっと強くなろう」

コロンの言葉に、ゆりが頷いた時だった。

突然、上空から女の笑い声が響いてきた。

同時に黒い影が急降下してきた。ダークプリキュアだった。

「ダークプリキュア！」

ゆりはすぐにシプレとコフレを後ろ手に隠すと、

「シプレ、コフレ、『こころの大樹』に隠れなさい」

小声で言うと、二人は大慌てで『こころの大樹』の方へ飛んで行った。

ゆりの前に着地したダークプリキュアは余裕の笑みを浮かべた。

「ふふふ、『こころの大樹』を追いかけてきたら、まさかおまえに会えるとはな」

「コロン、『プリキュアの種』を！」

ゆりはそう叫ぶと、『ココロパフューム』を取り出した。

コロンは頷き、胸から素早く『プリキュアの種』をゆりに放出した。

ゆりはキャッチすると、すぐさま『ココロパフューム』にセットして、キュアムーンライトに変身した。

「月光に冴える一輪の花　キュアムーンライト！」

すかさず、ダークプリキュアが先制攻撃を仕掛けてきた。だが、キュアムーンライトも負けてはいない。ダークプリキュアの蹴りとパンチをことごとくブロックすると、反撃に転じた。

一進一退の激しい肉弾戦が続き、二人はパッと後方へ飛び跳ねた。

二人は呼吸を整えると、再び肉弾戦を始める。薫子が言ったように二人は全く互角だった。

2度目に二人が離れて、呼吸を整えた時だった。

『こころの大樹』の枝から震えながら見ていたシプレ、コフレと、大樹の前で二人の戦いを見守っていたコロンが、何かの気配を感じて上空を見上げた。

邪悪な光を放つ物体が舞い降りてきて、キュアムーンライトの後方で、サバーク博士に変わった。

「ムーンライト、サバーク博士が来た！」

コロンが叫ぶと、キュアムーンライトはチラッとサバークを見て、

「大丈夫、私一人で戦えるから！」

その瞬間、急接近してきたダークプリキュアの回し蹴りを喰らい、キュアムーンライトは吹っ飛んだ。

だが、キュアムーンライトはすぐに立ち上がると、再びダークプリキュアに戦いを挑んでいった。同じ相手に2度負けるわけにはいかない。キュアムーンライトの気迫は凄まじく、優位に戦いを進めた時だった。

サバークが右手をキュアムーンライトに向かって突き出した。みるみる掌に邪悪なエネルギーが充満していく。

キュアムーンライトの掌底打ちを腹に喰らい、ダークプリキュアがよろめき、2～3歩後退した。キュアムーンライトは好機を逃さず、畳みかけるように突きを放とうとした。

「ムーンライト、危ない！」

という声とともに、コロンが飛んできて、キュアムーンライトを庇うように両手を開いた。

「えっ⁉」

キュアムーンライトが振り返った瞬間、サバークの掌から邪悪なエネルギーが放たれた。エネルギー波は猛スピードで飛んできて、キュアムーンライトを庇うコロンに命中して爆発した。

風が流れてきて爆煙が払われると、エネルギー波を受け止めているコロンが現れた。

「うっ⁉」

サバークが驚きの声を上げた。

コロンは邪悪なエネルギーを自分の命と引き換えに吸収したところで力尽き、キュアムーンライトの足元に転がった。

「コロン⁉」

キュアムーンライトはコロンを抱き上げた。コロンは最後の力を振り絞って呟くように言った。

「よ、よかった……君が無事で……」

コロンの体が土色に変わっていく。

「さようなら……キュアムーンライト……」

その瞬間、コロンの体は黒くなり、バラバラになって風に舞い上がっていった。

「コロン――――――ッ！」

キュアムーンライトの悲愴な声が響き渡った。

「ふふふ、これでおまえも終わりだな。『こころの大樹』とともに滅びるがいい」

ダークプリキュアが冷たい笑みを浮かべた。

両膝を突き、泣きながらうなだれていたキュアムーンライトがゆっくり立ち上がった。

「私はあなたたちを許さない……コロンの仇を取るまで、私は戦い続ける」

そう言うと、

「集まれ花のパワー！　ムーンタクト！　プリキュア・フローラルパワーフォルテッシモ！」

同時にダークプリキュアも、

「闇の力よ集え！　ダークタクト！　プリキュア・ダークパワーフォルテッシモ！」

二人はタクトで『*ff*』を描くと、それぞれ銀と赤の光に包まれ、猛然と接近して激しくぶつかり合った。二つの光は離れ合い、さらに衝突を繰り返した。

だが、数度目の衝突で決着がついた。

バッと離れたダークプリキュアがグラッとよろけて片膝を突いた。キュアムーンライトは一瞬勝ったと思ったが、そうではなかった。

悲鳴とともに、プリキュアのコスチュームが消え、変身前の白いドレス姿になって、後ろに倒れた。

その傍らには、ムーンタクトと『ココロパフューム』が転がっている。

コロンを失った憎しみだけで戦ったキュアムーンライトには、勝ち目がなかった。

あれほど咲き誇っていた『こころの大樹』の花や葉が風に煽られて、どんどん散っていく。

サバークはゆっくりダークプリキュアの横に近寄ると、笑いだした。

「くくく……伝説の戦士プリキュア、敗れたり。これで、『こころの大樹』が枯れれば、この星は我ら『砂漠の使徒』のものになるだろう」

ところが、すべての花や葉が散ったのにも拘らず、『こころの大樹』は枯れなかった。

「ん⁉　花も葉も散ったのに、なぜ枯れぬのだ⁉」

サバークがいらだちをあらわに言った。

キュアムーンライトの指先が微かに動くと、最後の力を振り絞って顔を上げた。

「ざ、残念だったわね……たとえ、私が倒れても……『こころの大樹』を守るプリキュアは、必ずおまえたちの前に現れる」

ダークプリキュアは冷笑すると、再びダークタクトを振り上げた。

「ふふふふ、これでおまえもおしまいだ。喰らえっ！」

ダークタクトを振り下ろし、邪悪なエネルギー波を放った。

ゆりは手に持っていた紫色の『プリキュアの種』でエネルギー波を受け止めた。そして、背後の『こころの大樹』の枝の陰から震えながら見ていたシプレとコフレを振り返って言った。

「シプレ、コフレ、『ココロパフューム』を次のプリキュアに渡しなさい！」

二人は震えながら頷くと、大空に向かって飛び立った。

「どけっ！」

ダークプリキュアが二人を追おうとした時、ついに邪悪なパワーを抑え切れなくなった『プリキュアの種』にヒビが入った。

「妖精たちよ、私の代わりを探して……！」

ゆりの顔が諦めの表情に変わり、『プリキュアの種』が音を立てて割れた。

刹那、大爆発が起こった。

大きな島のように上空に浮かんでいた『こころの大樹』の周りの土地が拡散して、小さな島のようになった土の塊があちこちに浮かんでいる。

その一つに乗っているサバークとダークプリキュアが、『こころの大樹』が立っている大きめな島を見上げた。

その時、その島からキラキラ光るものが降ってきて、二人の前に落ちた。

ダークプリキュアが拾って見ると、それは割れて3分の2ほどになった『プリキュアの種』の欠片(かけら)だった。

「ムーンライトが死んだか確かめてきます」

ダークプリキュアが『こころの大樹』に向かって飛び立とうとするのを、サバークが止めた。

「生きていたとしても、『プリキュアの種』がなければ、もうプリキュアになれない。構うな」

「しかし……」

その瞬間、サバークがダークプリキュアの肩を抱いた。

「！――」

ダークプリキュアは驚いて、サバークの横顔を見上げた。

「ダークプリキュア、よくやった。帰って祝杯をあげよう」

サバークの言葉に、ダークプリキュアの頬が仄(ほの)かに赤みを帯びた。

父と慕うサバークにかけられた初めての褒め言葉に、ダークプリキュアは至福の表情を浮かべた。

遠ざかっていくサバークとダークプリキュアを乗せた島を、『こころの大樹』とともに、薫子とコッペは眺めていた。

コッペの両腕の中には、心も体もボロボロになったゆりの姿があった。

二人はなかなかプリキュアパレスに現れないゆりとコロンを心配して、『こころの大樹』の近くまで来た時、ゆりがダークプリキュアに敗れるところを目撃したのだった。

とっさに、コッペがゆりを救出したことだけが、薫子にとっては唯一の救いだった。

「私がもう少し早くゆりちゃんをプリキュアパレスに連れていってあげていたら……」

薫子の双眸から涙が溢れた。

その時、ゆりの握りしめられた右手がゆっくり開き、何かが落ちた。『プリキュアの種』の片割れだった。

薫子は拾い、3分の1ほどになった『プリキュアの種』を見つめた。まるで、ゆりの心のように、傷つき、もう輝くことはない種を握りしめると、薫子の目に新たな涙が溢れて零れ落ちた。

第二章

新しいプリキュア

植物園に隣接する公園の堤は桜並木になっており、花見客で賑わっていた。今年の桜の開花は遅く、満開は4月に入ってからだった。

その喧騒の中を、花咲薫子は重い足取りで歩いていた。

キュアムーンライトがサバーク博士とダークプリキュアに敗れてからすでに1週間が過ぎようとしていた。薫子はその間毎日、月影ゆりの家がある植物園の職員官舎を訪れていたが、一度も会うことはできなかった。家の中に人の気配を感じたが、呼び鈴の音にも、薫子の呼びかけにも無反応であった。

ゆりの母、春菜が仕事から帰ってくる時刻を狙って訪ねたこともあった。薫子は春菜にゆりの様子を尋ねた。ゆりは食事とトイレ以外はずうっと部屋に引き籠もっていて、春菜とも口をきかないらしい。そして、逆に春菜からゆりの身に何があったのかと、質問されて困り果てた。

春休みももうすぐ終わろうとしている。ゆりも明堂学園の高等部の2年生に進級したが、はたして通学できるのだろうか。薫子はゆりをプリキュアにしたばかりに、彼女の人生の歯車を狂わせてしまったと思うと胸を締めつけられる思いであった。

なんとか、ゆりに立ち直ってもらいたい。それにはどうしたらいいのか、薫子はここのところ、ずうっと考えていた。そこで思い出したのが、ゆりが唯一友達と呼べるクラスメートの存在だった。来海ももか。ゆりとの他愛のない日常会話の中で、時々出てくる名前で、薫子が住む家の隣で、『フェアリードロップ』というファッションショップを営む家のお嬢さんだった。

薫子はももかに頼んで、気晴らしにゆりを外に引っ張り出してもらおうと相談をしに行くところだった。花見客の喧騒から逃れて、薫子がももかの家の前に来ると、待ち構えていたももかが小走りに近づいてきた。

「花咲さん、やっとゆりと連絡が取れました」

薫子は今朝植物園に行く前に、ゆりと会えなくて心配していることだけはももかに伝えていた。ももかも春休みに入ってから何度もゆりにメールを送ったが、返事が返ってこないので心配していたところだと言っていた。

「それで、ゆりちゃんはなんて？」

「ショッピングに付き合ってくれるそうです」

「そう！　よかったわ。ありがとう、ももかちゃん」

薫子がお礼を言った時、店から小柄な少女が元気よく飛び出してきた。ももかの妹のえりかだった。

「ショッピングですって！　ももネエ、どこのショップへ行くの？」

「あなたには関係ないでしょう」

ももかがうんざり顔で言うと、えりかはさらに大声になって、

「かわいい妹を連れていかないなんてあり得ない！　お・ね・が・い！」

ももかの腕を掴んで懇願した。

「友達と行くんだから、ダメダメ！」

「そんなこと言わないでさあ！　連れてってよ～～っ！」

まるで、幼児が駄々をこねるように、えりかは食い下がった。

子供の頃からモデルをしていて大人びて見えるももかと違って、えりかは中学2年生になったにしては幼く見える。小学生だと言われても全く違和感がないくらいだ。性格も、ももかはおしとやかで何事にも慎重なタイプだが、えりかはつねにハイテンションで前向き過ぎるところがある。

薫子は今にも姉妹喧嘩が始まりそうなので、

「じゃあ、ももかちゃん、ゆりちゃんに会ったら、植物園の方にも顔を出してって言っておいて」

「はい。帰ってきたら、ゆりの様子がどうだったか、ご報告します」

「ありがとう。じゃあ」

薫子が口論を続ける二人を残して、職場へ戻ろうとした時、白衣のポケットの中で、携帯電話が震えだした。

薫子が携帯電話を取り出して、電話に出ると、孫娘のつぼみからだった。

「おばあちゃん、こんにちは。今、希望ヶ花市に入ったところです」

携帯電話から聞こえてくるつぼみの声に、薫子は思わず、

「えっ？」

と言った後で、

「ああ――っ！」

大声を上げた。その声に、まだ口論をしていたももかとえりかがこちらを見た。

薫子は慌てて、二人に背を向けた。

「おばあちゃん、まさか私たちが今日引っ越していくこと忘れていたんですか？」

薫子はゆりのことで頭がいっぱいで、つぼみと両親が薫子の家に引っ越してくるのが今日だということを忘れていたのだ。

「そ、そんなことないわよ。現に今、家の前にいるもの」

薫子が小声で言うと、

「そうですよね。おばあちゃんが忘れるわけがありませんよね」

つぼみの安心した声が返ってきた。

薫子は心の中で謝りつつ嘘は言っていないと思いながら、目の前の自分の家を見た。隣家の前では、こちらを興味津々で見ていたえりかの耳朶（みみたぶ）を、ももかが引っ張りながら店の中に連れていくのが見えた。薫子は苦笑をしながら、つぼみとの会話を続けた。

「引っ越しの業者が来るのは、つぼみたちより早かったわよね」

「はい。私たちより30分ほど前に出発しているので、まもなく着く頃だと思います」

「そう……」

その時、引っ越し業者のトラックが家の前に到着した。

「あら、ちょうど到着したわ。電話切るわね」

薫子は携帯電話を仕舞うと、業者の人たちに挨拶して、荷物の運び込みの指示をした。

それが終わると、植物園に電話をかけ、今日は半日休むことを告げた。

つぼみたちが到着するのを待つ間、薫子は自分が希望ヶ花に引っ越してきた3年前のことを思い出していた。

それは、薫子が植物園の園長に就任した時だった。それ以前の副園長時代には、鎌倉の実家から通っていた。しかし、年齢も60歳を超え、満員電車の通勤がしんどいと感じるようになったため、借家で一人暮らしを始めたのである。おばあちゃん子の孫娘のつぼみには泣かれたが、彼女にとってもちょうどいい時期だと思っていた。

つぼみの父親、陽一(よういち)は薫子の影響からか植物学者で、都内の出身大学で講義を持つ傍(かたわ)ら、絶滅危惧種の植物の保護活動を行っていた。母親のみずきは花の商社として有名な会社のキャリアウーマンだった。二人は仕事の関係で家を留守にすることが多く、つぼみには寂しい思いをさせていた。つぼみの世話は薫子が主にしていたが、つぼみが引っ込み思案で学校で浮いた存在になったことを知り、二人が仕事をきっぱり辞して、鎌倉の実家近くで花屋を開いたのが、3年前だった。ちょうど薫子が今の植物園の園長になった時期と同じ頃だったのだ。

薫子は三人が水入らずで暮らせば、希薄になっていた親子の絆（きずな）も改善され、つぼみの性格も徐々に変わるだろうと思い、自分は希望ヶ花市で一人暮らしを始めたのである。

そして、今年の正月に、借家の大家から家を買ってくれないかともちかけられ、息子の陽一に相談したところ、それなら鎌倉の家を引き払い、こっちに引っ越して、また家族四人で住もうということになったのである。

すぐに、花屋が開けるように改築を始め、その工事も3日前に終わっていた。

薫子がそんなことを思い出していると、トラックの後方にワンボックスカーが到着して、後部座席のドアが開くと、髪を一つ結びにし、眼鏡をかけた少女が飛び出してきた。

薫子の孫娘のつぼみである。

「おばあちゃん！」

「つぼみ、希望ヶ花へようこそ！」

薫子は両手を開き、飛び込んで来たつぼみを力いっぱい抱きしめた。

夕方、薫子が久しぶりに家族四人で引っ越し蕎麦を食べていると、勝手口でチャイムの音がした。

つぼみが立ち上がろうとするのを、薫子が制した。

「つぼみ、私が出るからいいわ。たぶん、私のお客さんだと思うわ。食べてて」

「はい。分かりました。では、お言葉に甘えて」

つぼみの丁寧な言葉遣いは小学生の頃からだった。近所の子供たちがテレビの影響からかあまりにも言葉遣いが悪かったので、一応、つぼみには良いお嫁さんになりたいのなら、言葉遣いは丁寧な方がいいと薫子がアドバイスしたのがきっかけだった。それ以降、つぼみは言葉遣いはよくなったのだが、丁寧になり過ぎてしまった。

薫子は一度、丁寧すぎるのも友達との会話が円滑にできなくなると伝えたのだが、つぼみは丁寧な言葉遣いが好きだと言って、改めようとはしなかった。

――きっと、意志が固い性格は死んだおじいさんに似ているのね。

そう心の中で呟きながら微笑むと、薫子は勝手口へ行った。

薫子の思った通り、客はももかだった。

ももかはつい先程までゆりと一緒にいたそうで、自分が思っていた以上に落ち込んではおらず、明後日からの学校には登校すると言っていたことを報告してくれた。

「それで、ゆりちゃん、落ち込んでいる原因話してくれた？」

「それが意外だったんですよ。付き合っていた彼氏が遠くへ引っ越したそうで……」

「そう……」

薫子は、死んだコロンのことだとピンと来たが、話せるわけもなく黙っていた。

「彼氏がいたなんて全然聞いてなかったんで、ホントびっくりしちゃって……。ゆりのヤツ、私のこと親友だと思ってないのかしら」

「それはないと思うわ。ももかちゃんの話、ゆりちゃんから何度も聞いたことあるもの」

「そうですか。でも、水臭いですよね」

「ふふ。でも、学校に行けるくらい元気になったのなら安心したわ」

「私、花咲さんが心配してるってゆりに話したら、もう少し元気になったら、植物園にも顔を出しますって言ってました。それじゃ、私、これで」

「本当にありがとう」

薫子の言葉に、ももかは微笑み一礼すると、踵を返して自宅の方へ帰っていった。

薫子が勝手口から戻ろうとすると、ダイニングからこちらを覗いているつぼみに気づいた。

「あら、つぼみ、そこにいたんなら、ももかちゃんに挨拶すればよかったのに」

「あ、いや、あまりにも美しい方でしたから、見惚れてしまいまして。おばあちゃんにあんな美人のお知り合いがいらしたなんて……」

「隣のファッションショップのお嬢さんよ。ももかちゃんっていうんだけど、高校生でモデルの仕事もやっているの」

「そうだったんですか。オーラと言いますか、女子力と言いますか、私とは大違いだと思いました」

薫子は微笑みながらつぼみの肩を抱くと、ダイニングへ行き、食べかけの蕎麦を食べながら話の続きをした。

「ももかちゃんの下に、ちょうどつぼみと同い年の妹さんがいるのよ」

「へえ、そうなんですか？」

「えりかちゃんって言って、お姉さんとは全然タイプが違う、とっても活発なお嬢さんでね、明堂学園の中等部に通っているの」

「では、私と同じ学校ってことですよね？」

「ええ、仲良くなれば、こっちでの生活の手助けになってくれるんじゃないかしら」

「分かりました。でも、私と仲良くなっていただけるのでしょうか？」

微笑みながら聞いていた陽一とみずきが二人の会話に加わってきた。

「おいおい、つぼみ、そんな消極的でどうするんだ」

「そうよ。チェンジするんじゃなかったの？」

「チェンジって？」

薫子が尋ねると、つぼみが照れ臭そうに答えた。

「前の学校の時のような引っ込み思案な自分の性格を変えて、もっと積極的に話しかけて友達を作ろうと思いまして……」

「なるほど、それでチェンジなのね」

「はい」

「だったら、まずはえりかちゃんと仲良くなったらいいわ」

「分かりました。私、頑張ります！」

つぼみは力強く両手の拳を握りしめた。


翌日、両親は引っ越し荷物の整理と花屋の仕入れ業者との打ち合わせに追われ、つぼみを連れて隣家の来海家へ挨拶に行ったのは午後になってしまった。

あいにく、ももかはモデルの仕事でえりかは私用で留守だった。三人は姉妹の両親に挨拶しただけで帰宅した。

つぼみは明日からの営業開始の準備が忙しい両親の手伝いをしようとしたが、薫子から連絡がきて、植物園を見学に行くことにした。

植物園の敷地内の桜は、満開を過ぎ葉桜が目立ち始めている。

つぼみが植物園を訪れるのは、薫子が希望ヶ花に引っ越してきた時以来だった。

薫子に案内され、世界でも珍しい植物を集めた温室を中心に見て回った。その中で、つぼみが一番興味を引かれたのは、リュウゼツランという植物だった。日本語では『竜舌蘭』と書き、メキシコを中心として主に中南米で自生していた。

リュウゼツランはランと名前につくが、その姿はアフリカが原産地のアロエに似ている。成長が遅いため、何十年に一度しか開花しないらしい。

薫子がこの植物園に入った時から育てていて、花茎が伸び始めたことから、今年中に開花して枯れてしまうと説明してくれた。

「どんな花が咲くのでしょうか？」

「私もネットでしか見たことがないのよ。２００種以上あるんで、咲いてみないと分からないのよ」

「なんかワクワクしますね。おばあちゃん、花が咲いたら知らせてくださいね」

「ええ。いの一番につぼみに連絡するわ」

「ありがとうございます！」

「ふふ、本当につぼみは花が好きなのね」

「はい。おばあちゃんとおじいちゃんのラベンダー畑を見て育ちましたから」

にっこり微笑むつぼみの頭を撫(な)でると、薫子はとっておきの場所に案内した。

そこは、植物園から15分ほど坂を上った丘の上だった。

「わあ、素敵です！」

　丘の上から希望ヶ花市が一望に収められた。遠くには海も見え、絶好のスポットだった。つぼみはとても感動して、希望ヶ花でのお気に入りの場所となった。


　月影ゆりが初めてつぼみを見たのは翌日の朝だった。

　明堂学園は中等部、高等部が隣接しているため、新学期が始まると、校門へと続く並木道は、新入生を含めた両校の生徒たちで溢れていた。

　前方の道端で、身を屈めてクローバーを見ている中等部の制服を着た少女がいた。つぼみだった。

「ありました！　四つ葉のクローバーの花言葉は『幸福』……」

　そう呟くと、微風に揺れる四つ葉のクローバーをじっと見つめた。

　──四つ葉のクローバーさん、私、引っ込み思案の自分の性格を変えようと思っているんです。その願い、叶えて……いえいえ、そんな他人任せではいけません。絶対変えてみせます！

　そう心の中で誓うと、つぼみは立ち上がって、

「頑張るぞ！　おお──っ！」

右手の拳を突き上げると、背後を歩く生徒たちがクスクス笑った。

つぼみは途端に赤面して、

「やっぱりダメかもです」

逃げるように校門の方へ駆け去っていった。

その様子を微笑ましく見ていたももかがゆりに言った。

「見たことない顔だったわね。中等部の新入生かしら？」

「もう少し上のような気がするけど……」

「じゃあ、転校生かな。そう言えば、うちの隣の家に妹と同い年の女の子が引っ越してきたって、ママが言ってたなあ」

「妹さん、えりかちゃん……だっけ？」

「うん。その子、うちの中等部に編入するみたいだけど、えりかと一緒になったらかわいそう」

「どうして？」

「空気が読めないっていうか、すぐ自分のペースに相手を巻き込んじゃうのよね」

「まあ！」

クスッとゆりが笑った。

2日前にショッピングをした時、ゆりは全く笑わなかったのが気になっていたももかは、ようやく笑ったゆりに安堵して微笑んだ。


　ももかの予感は的中した。

　つぼみはえりかと同じ2年2組に編入して、担任の鶴崎先生に促されて自己紹介することになった。

　まず、名前を黒板に書いたのだが、緊張のあまり文字が小さかったのがいけなかった。

「字が小さ過ぎて見えません」

と、ツッコんできたのが、えりかだった。自分の性格をチェンジしようとしていたつぼみは、出鼻をくじかれてしまい、自己紹介も思うようにできず意気消沈した。

　それでも、クラスメートたちは温かく迎えてくれて、つぼみはホッとした。

　昼休み、クラスメートの佐久間としこ、沢井なおみが一緒に弁当を食べようと、つぼみを誘ってくれた。

　三人で中庭の芝生に座って、つぼみが前に住んでいた鎌倉の話などをしながら食べていると、いきなりえりかがやって来て、

「こんな所で食べてたんだ」

　無理矢理つぼみの隣に割り込んできたかと思うと、つぼみが残していた鶏のから揚げを

見つけて、

「おっ、から揚げ！　あたしの卵焼きと交換して」

自分の卵焼きをつぼみの弁当箱に入れ、から揚げを箸(はし)で摘み上げた。

「あっ！」

つぼみは驚き、小声で、

「最後に食べようとしていたのに……」

ボソッと言うと、えりかは、

「えっ？　今、何か言った？」

と、つぼみを見た。

「えっ、あっ、いいえ……」

つぼみがガッカリしていることなどお構いなしに、えりかはから揚げをパクッと半分食べた。

「美味(おい)しい！」

「あっ……」

つぼみの目が潤んでいるのに、えりかはようやく気づき、

「あれ？　ひょっとして、つぼみって好物は最後に食べるタイプだったんだ。ごめん、返すね」

「あっ、いえ、いいです……」

「だよねえ、もう半分食べちゃったし」

そう言うと、えりかは残りの半分を口の中に放り込んだ。途端に、としことなおみがプッと吹き出した。

「花咲さん、えりかって超マイペースだから、ビシッと言った方がいいよ」

としこの指摘に、

「は、はい……」

と、つぼみは頷いたものの、またしてもチェンジできない自分に失望した。

「何よ、それ〜。これもコミュニケーションだって！」

えりかは反論したが、なおみにツッコまれた。

「それがマイペースだって言ってんの！」

「はあ？」

首を傾げるえりかを見て、つぼみは一生この人とは友達になれないと思う。しかし、えりかは違った。

放課後、みずからが部長を務めるファッション部から最後の部員二人が退部してしまい、部の存続が危うくなったため、つぼみを入部させようとした。

花が好きなつぼみは園芸部に入部しようとしていたため断ったのだが、

「つぼみんちって、お花屋さんなんでしょう？　学校来てまで、花なんかいいでしょう！　ファッション部、入ろう！」

強引につぼみの手を摑み、

「楽しいよ！　女の子だもん、ファッションに関心ないわけないよね！」

部室まで連れていこうとしたが、つぼみはその手を振り払って言った。

「私、お花が好きなんです！　勝手に決めないでください！」

あまりの拒絶反応に、さすがのえりかもそれ以上何も言えなくなってしまった。

ところが、つぼみが帰宅しようと、通学路を歩いていると、後ろからしょんぼりした表情のえりかがついてくるのに気づいた。

――まだついてくる……断ったのに。

つぼみは意を決して、立ち止まると、

「来海さん！」

その声に、えりかも立ち止まり、顔を上げた。

「えりかでいいって」

「あっ……じゃあ、えりか……さん、どうしてついてくるんですか？　何度頼まれても、ファッション部には……」

　えりかはすぐに前方を指差して言った。

「あたしんち、こっちなの」

「ああ……そうだったんですか」

　つぼみはやむなくえりかと肩を並べて歩きだした。

　ところが、自分の家のすぐ近くの十字路を曲がっても、えりかはまだついてきた。

「え？　まだ一緒？」

　すると、角のファッションショップ『フェアリードロップ』を、えりかは指差して言った。

「あたしんち、ここ」

　途端に、つぼみが驚愕の声を上げた。

「ええ〜〜っ⁉」

「何、驚いてるのよ？」

　えりかが不思議そうな表情を浮かべた時、隣のフラワーショップの前で、鉢植えに水をやっていたつぼみの母、みずきが気づいて声をかけてきた。

「つぼみ、お帰りなさい」

「あっ、ただいま」

　つぼみが言うと、今度はえりかが驚愕の声を上げた。

「嘘〜〜〜〜っ!!　つぼみんちって、うちの隣だったの?」

「……みたいですね」

するとえりかはいきなりつぼみの手を掴むと、みずきの前へ駆け寄り、

「はじめまして。あたし、隣のショップの娘の……」

みずきが微笑みながら言った。

「えりかちゃんでしょう?　お母さんから聞いているわ」

えりかはつぼみの手を離して、

「そうだったんですか!　おばさん、つぼみとは同じクラスなんですよ」

えりかの言葉に、みずきはつぼみを見て言った。

「そうなの?　よかったわね、つぼみ」

つぼみは本人が目の前にいる手前、よくないとも言えず、

「え、ええ……」

曖昧に言った途端、えりかがまたつぼみの手首を掴んだ。

「おばさん、ちょっとつぼみ、借りていきますね」

「ええ」

みずきの許可を得たえりかは、ニヤリと笑った。

「行こう、つぼみ!」

「行こうって？」

「あたしんちよ！」

つぼみを強引に店の方へ引っ張っていく。

「まさか、家までお隣同士とはね。あたしたちって、何か縁があるんだね」

「たまたまです！」

つぼみはえりかの手を振り払って、

「悪いんですけど、私、これから用があるんで、これで失礼します！」

きっぱり言って踵を返すと、えりかに見えないようにガッツポーズを取って小声で呟いた。

「きっぱり断れました。私、変われたかも……」

だが、それがまずかった。その声はしっかりえりかの耳に届いており、

「へえ～、変わりたかったんだ！」

つぼみはギクッとなり、振り返ると、

「そうならそうと言ってよ！　あたしがバッチリ変わらせてあげる！」

えりかは再びつぼみの手首を摑むと、つぼみに有無を言わせず店の中へ飛び込んでいった。

『フェアリードロップ』の2階はえりかの母、さくらのデザインルーム兼ドレッシング

ルームと、父、流之助の個人スタジオに分かれている。

さくらの方のスペースの大きな鏡の前に、つぼみは立たされていた。つぼみのチェンジしたい要望に応えて、えりかは素早くつぼみの丸いレンズの眼鏡を外すと、一つ結びの髪を解き、少しウェイブがかかったツインテールに変えた。それから、えりかはつぼみに似合いそうな服をコーディネートしていく。何着か取っ替え引っ替えして、一番似合いそうな胸に大きなリボンが付いたピンク色のワンピースをつぼみの制服の上からあてがった。

鏡に映るつぼみの姿に、えりかは満足そうに頷くと、

「どう？　めちゃモテキャラになったでしょ！」

つぼみの眼鏡を差し出した。

つぼみは眼鏡をかけ直して、鏡に映る自分を見た。

「こ、これが私……？」

まるで別人で、ファッション雑誌に載っているようなモデルではないかとうっとりしたが、すぐに我に返り、激しく首を横に振った。

「いい加減にしてください！」

「え？」

「変わりたいのは格好とかじゃなくて……性格なんです！　友達でもないのに、勝手なことしないでください！」

ワンピースをえりかに押しつけるように返し、逃げるように階段を下りていった。

「つぼみ……な、何よ、人がせっかく……」

と、えりかが言いかけた時、背後で声がした。

「今のはえりかが悪いわ」

えりかが振り返ると、ももかだった。

「ももネエ……！」

「あんたさ、勝手に自分のペースに巻き込んじゃうの悪い癖だよ」

図星を突かれ、えりかは驚いたが、

「ももネエには関係ないでしょ！　放っといてよ！」

憤然とももかの横を通り過ぎて、奥の住居スペースの方へ去っていった。

「素直じゃないなあ……」

ももかが苦笑した。


自分の部屋に入るなり、えりかはベッドに仰向けで寝転がった。

ももかの言葉が頭の中でリフレインしている。

「素直じゃなくて悪うございました！　ったく、自分は美人で、現役高校生モデルで、超モテモテ。それに比べて、あたしなんか……あ～～～っ！」

両手で髪の毛を掻きむしりながら起き上がると、窓の外を見た。

すると、隣家のベランダで、髪型はえりかに直されたままだが、眼鏡をかけたつぼみがプランターの花に水をやっていた。

「あっ」

と、えりかが小さな驚きの声を上げた。つぼみはえりかがこちらを見ているのに気づくと、如雨露を置き、部屋に入ってカーテンを閉めてしまう。

「………」

えりかはつぼみがまだ怒っていることを知り、再びベッドに倒れ込んだ。


つぼみはベッドに腰掛けると、サイドテーブルの上に置いてあるサボテンの鉢植えを取り、語りかけた。

「ちょっと言い過ぎてしまったでしょうか……。でも、私、悪くないですよね？」

つぼみは小さな溜め息を吐くと、サボテンを元の場所に戻して、ベッドに横になった。

「性格を変えるって、難しいのでしょうか……」

初登校で疲れたのだろう。つぼみはそのまま眠ってしまった。

つぼみは夢を見た。

ここのところ繰り返して見る夢だった。キュアムーンライトという女戦士が、『こころの大樹』という大きな木の近くで、ダークプリキュアという悪の女戦士とサバーク博士という仮面の男に襲われ、敗れ去る内容だった。

いつもの夢と同じで、キュアムーンライトがダークプリキュアにトドメを刺されて悲鳴を上げる場面で目が覚めた。

「また同じ夢……。どういうことなんでしょうか……?」

つぼみは、物知りな薫子に話せば、何か教えてくれるのではないかと思い、植物園に行くことにした。

ところが、あいにく薫子はこれから職員たちとの会議に出なければならないところだった。

「ごめんなさい、つぼみ。大事な用だったら、1時間ほど待ってもらえるかしら」

「あ……いえ、最近同じ夢ばかり見るものですから、おばあちゃんに何かアドバイスを頂こうときただけです。どうぞ、会議に行ってください。待ってますから」

「そう。悪いわね」

そう言うと、薫子は足早に去っていった。

薫子を待つ間、つぼみは時間潰しに町が一望できる丘に行った。

つぼみが頂上に到着して、町の景色を眺めながら大きく伸びをした時だった。

上空から小さな二つの影が急降下してくる。

なんとそれは、妖精のシプレとコフレであった。

「えっ⁉」

つぼみは驚愕して逃げようとしたが、間に合わず妖精たちと激突した。

「あいたたた……な、何なんですか⁉」

つぼみが妖精たちを見た。目を回していた妖精たちはすぐ起き上がり、

「悪い奴に追われてるですぅ！」

「助けてです！」

「ぬ、ぬいぐるみが喋った――っ⁉」

つぼみは尻餅をついたまま後退りを始めた。

「説明してる暇はないです！」

「それってですぅ！」

シプレとコフレはつぼみのトレーナーの首からその中に潜り込んだ。

「な、な、何なんですか⁉　やめてください。くすぐったいです！」

大きくなった胸を摑むと、中から二人の声が聞こえてきた。

「ちなみにワタシはシプレですぅ」

「ボクはコフレです。よろしくです」

「私は花咲つぼみです……って挨拶してる場合ではなくてですね……」

つぼみが言いかけると、再び妖精たちの声がした。

「シーッですぅ！」

「サソリーナが来たです！」

「え？」

つぼみが振り返ると、サソリーナが足早にやってきた。

「な、何なんですか、あの怖そうな女の人は？」

怯えながら尋ねたが、妖精たちは黙ったままだった。

つぼみの前にやって来たサソリーナが尋ねた。

「ちょっとお嬢ちゃん、今妖精が飛んでこなかったぁん？」

つぼみが震えながら頭を横に振った。

サソリーナは妖精たちが隠れているとも知らず、巨乳状態のつぼみの胸をチラッと見てムスッとすると、麓の方へ去っていった。

つぼみがホッと胸を撫で下ろすと、妖精たちもトレーナーの首から顔を出した。

「もう大丈夫ですぅ。ありがとうですぅ」

「今の恐ろしい女の人は何者なのですか?」

「『砂漠の使徒』の……」

シプレが説明しようとしたが、コフレが制して、

「つぼみに話しても分からないです。それより、早く植物園へ急ぐです」

「植物園ってこの町のですか?」

「そうですが……」

「それなら、これから私も行くところですが」

妖精たちは顔を見合わせると、ニンマリ微笑んで、

「連れていってもらうですぅ」

「お願いするです」

「分かりました。でも、怖い女の人が去っていった方ですけど……」

「ボクらは隠れるから大丈夫です」

「つぼみ、レッツゴーですぅ」

どこまでも人が好いつぼみは妖精たちを連れて丘を下りていった。

三人が麓にある児童公園に差しかかった時だった。

鉄棒に寄りかかって何か考え事をしているえりかが見えた。買い物の途中なのか、右手にはエコバッグを持っている。

つぼみが近づこうとする前に、サソリーナがえりかの前に現れた。

「ねえ、お嬢ちゃん、妖精たち見なかったぁん？」

「誰？　変なおばさん」

えりかの何気ない一言に、サソリーナは激怒した。

「変なおばさんですって！」

次の瞬間、サソリーナの目が妖しく輝いた。

えりかの『こころの花』である白いシクラメンが萎れて花びらも赤く変わり始めているのを見抜いたのだ。

「ちょうどいい具合に『こころの花』が萎れてるじゃない。『こころの花』よ、出てきてぇん！」

えりかに向かって両手を突き出した。

すると、えりかの足元から光が数条放出された。えりかの悲鳴が響いたかと思うと、閃光とともにその姿は消え、逆さになった八角錐のクリスタルとその先端についたクリスタルの球体に変わり、サソリーナの前に飛んできた。

「えりかさん……⁉」

愕然となるつぼみに、妖精たちが説明した。

「『こころの花』を抜き取られたです」

「早く取り戻さないと、あの子の白いシクラメンの花が赤く変色して、やがて枯れてしまうですぅ」

つぼみには何のことかさっぱり分からない。

その間に、サソリーナは植え込みの近くに落ちている女の子の人形を発見すると、クリスタルの球体の部分を放り投げて、

「これがいいわぁん。デザトリアンのお出ましよぉん！」

クリスタルの八角錐と人形を合体させ、人形を巨大にした姿のデザトリアンを誕生させた。

「さあ、大暴れして、妖精どもをおびき寄せるのよぉん！」

デザトリアンは雄叫びを上げると、暴れだして、公園内の遊具を壊し始めた。

その隙に、コフレは地面に転がった球体を拾ってきて、つぼみに見せた。

球体の中で、小さくなったえりかが気を失って座り込んでいる。その表情は苦しそうに見える。

「えりかさん、しっかりしてください！」

球体を揺するが、何の反応もない。

「デザトリアンを倒し、『こころの花』を取り返さない限り、この子の意識は戻らないですぅ」

シプレが言った時、その声をサソリーナが聞きつけた。

「出たわねぇん、妖精ども！　デザトリアン、捕まえるのよぉん！」

デザトリアンは咆哮を上げ、つぼみたちに突進してくる。

「逃げます！」

つぼみは妖精たちとデザトリアンの攻撃を懸命に躱しながら、土管の中に逃げ込んだ。

デザトリアンは近くのシーソーから板をもぎ取ると、それで土管を叩き割ろうとした。

だが、板の方が割れてしまい、やむなく手刀で土管を叩いた。

手刀が当たるたびに、土管の中に大きな音が響き、つぼみは震え上がった。

デザトリアンは手刀を繰り出しながら叫び始めた。

「ももネエなんか大嫌いだ！　ちょっとくらい美人でスタイルがいいからって、威張らないでよ！」

つぼみは驚き、妖精たちに尋ねた。

「ま、魔物は、何を言ってるんですか⁉」

「『こころの花』を盗られた、その子の心の叫びですぅ」

シプレがクリスタルの球体の中で苦悶の表情を浮かべるえりかを指して答えた。

「えりかさん……！」

つぼみが呟いた時、デザトリアンの手刀により土管にヒビが入り始めた。

「ももネエは何もしなくたって、みんなからチヤホヤされるけど、あたしは色々努力しなきゃ、友達から好かれないんだから！」

えりかの心の叫びを代弁するデザトリアンの声に、つぼみは自分がえりかのことを誤解していたことに気づいた。

「えりかさんにも、えりかさんなりの悩みがあったんですね……」

その時、コフレが土管のヒビに気づき、

「ここも危ないです！　逃げるです！」

三人が土管を抜け出した瞬間、デザトリアンの手刀で土管が吹っ飛んだ。

「このままじゃ、『こころの花』が散って、『こころの大樹』が枯れちゃうですぅ〜」

シプレの言葉に、つぼみがハッとなった。夢の中によく出てくるキーワードだった。

「『こころの大樹』って、大きな木のことですか？」

「『こころの大樹』を知ってるですか？」

「夢の中によく出てくるんです」

妖精たちが目を丸くして驚いた。

「夢⁉　ま、まさか……」

「この子が⁉」

その瞬間、デザトリアンが雄叫びを上げてパンチを放ってきた。

三人は間一髪躱して逃げ出したが、その前にサソリーナが立ち塞がった。

「ふふふふ、もう逃げられないわよぉん。さあ、はやく『ココロパフューム』を渡しなさいよぉん！」

ところが、デザトリアンは攻撃をやめて、頭を掻きむしり始めた。

「パパやママだって、ももネエには何にも言わないのに、どうしてあたしにばかり文句言うのよ！　不公平だよ！」

「ちょっと、あんた！　くだらないこと言ってないで、こいつらを捕まえなさいよぉん！」

サソリーナの言葉に、つぼみが怒りで肩を震わせた。

「えりかさんの悩みを利用して、こんな魔物を暴れさせるなんて酷すぎます！　私……堪忍袋の緒が切れました！」

そう言い放った瞬間、シプレの胸のハートマークが輝きだした。

「これは！　この子なら託せるですぅ！」

シプレはハートマークから『ココロパフューム』を出して、つぼみに渡した。

「な、何ですか、これ？」

「プリキュアに変身できる『ココロパフューム』ですぅ」

「プリキュア⁉」

つぼみは夢の中でたびたび出てきたキーワードに驚いた。

「友達はボクが預かるです！」

コフレがつぼみからえりかが入った球体を受け取った。

「『プリキュアの種』、いくですぅ！」

シプレの胸のハートマークが輝き、『プリキュアの種』が飛び出した。

つぼみの手が勝手に動き種を摑むと、『ココロパフューム』にセットした。

「え？　え？　どうなっているんですか？」

「説明してる暇はないですぅ。『プリキュア！　オープンマイハート！』って叫ぶですぅ！」

「え…ええ〜っ⁉」

「いいから叫ぶですぅ！」

「もう、なんだか分からないけど……プリキュア！　オープンマイハート！」

その途端、『ココロパフューム』が輝きだすと同時に、つぼみの体が閃光(せんこう)して白いドレス姿になった。

　サソリーナも驚き、

「こ、これって……⁉」

『ココロパフューム』が勝手に動いて、シュッシュッと聖なる香水をつぼみの体にかけていくと、ピンクを基調にしたプリキュアのコスチュームが体に装着されていく。

「大地に咲く一輪の花　キュア……って、何、勝手に喋ってるんですか、私⁉」

「好きな名前を叫ぶですぅ！」

「って、言われましても……」

　その視界に、公園の遅咲きの八重桜がまだ咲き誇っているのが飛び込んで来た。

「決めました！　大地に咲く一輪の花　キュアブロッサム！」

　と、つぼみはカッコよく決めポーズを取った。

「凄いですぅ～！　やっぱり、この子はプリキュアだったんですぅ！」

「私が……プリキュア～～⁉」

　キュアブロッサムになった自分に、驚き戸惑っていると、プリキュアの出現にサソリーナも驚きの声を上げた。

「あ、新しいプリキュア……⁉　デザトリアン！　こうなったら、プリキュアもろともぶちのめしてぇん！」

　デザトリアンは咆哮を上げると、片足を上げ、踏み潰そうと襲いかかってきた。

踏み潰される寸前に、キュアブロッサムは妖精たちを抱いてジャンプして躱した。

だが、プリキュアの跳躍力(ちょうやくりょく)は、キュアブロッサムの予想を遥(はる)かに上回り、50メートルを優に超えていた。

「ええ〜っ、な、な、何、なんでこんなに高く跳べるんですか〜⁉」

「それはプリキュアだからですぅ！」

シプレの説明に、まだ理解できないキュアブロッサムであったが、眼下を見た途端、

「わ、私、高い所が苦手なんです〜〜っ！」

上昇も止まり、キュアブロッサムは手足をジタバタさせたが、万有引力には勝てるはずもなく、真っ逆さまに落下していった。

悲鳴とともに落下したキュアブロッサムは地面に激突して、砂埃(すなぼこり)が上がった。

砂埃が消えると、目を回したキュアブロッサムが倒れていた。

その様子を上空から見ていたシプレとコフレは唖然(あぜん)としていた。

「あの子をプリキュアにして、ホントによかったですか？」

と、コフレがシプレに尋ねると、

「うーん……」

シプレは答えなかったが、体中から汗が滴り落ちていた。

その時、デザトリアンが笑みを浮かべながら近づいてきて、倒れているキュアブロッサ

ムを捕まえようとした。

「キュアブロッサム！　逃げるですぅ！」

シプレの声に、意識を取り戻したキュアブロッサムがハッとなって慌てて逃げ出した。

しかし、その凄まじいスピードに、

「うわああ、なんて速いんですか～～っ！」

振り返ると、追いかけてくるデザトリアンがみるみる小さくなっていく。

「これなら逃げ切れます！」

キュアブロッサムにようやく安堵（あんど）の表情が浮かんだのだが、妖精たちがすぐに追いついてきて、

「逃げてちゃ駄目です！　っていうか、前、前！」

「えっ？」

キュアブロッサムが前を向いた瞬間、ジャングルジムが眼前に迫ってきた。

「うわあああああ!!」

止まろうとしたが間に合わず、ジャングルジムに激突した。キュアブロッサムは鉄製のジャングルジムにめり込んでしまった。

「いたたたたた……あっ、子供たちのジャングルジムを……！」

グニャリと曲がった鉄の棒を一本一本直し始めた。

「そんなことやってる場合じゃないですぅ！　後ろ！」

追いついたデザトリアンがパンチを放ってきた。

「ひぃ――っ！」

キュアブロッサムは横っ飛びして躱したまではよかったが、今度は目の前に鉄棒が迫ってきた。

キュアブロッサムはとっさに鉄棒の握り棒を両手で掴んだが、勢いがつき過ぎているために大車輪をやる羽目に陥ってしまう。

――逆上がりもできるかどうか微妙なのに～～っ！

目を回したキュアブロッサムが鉄棒から手を離してしまうと、宙に放物線を描きながら飛んで行き、地面に落ちて気絶した。

慌てて飛んできたシプレとコフレが、

「しっかりするですぅ！」

「目を覚ますです！」

体を揺すったり、軽く頬を叩いたりしたが、キュアブロッサムは気絶したままだ。

あまりの無様なキュアブロッサムの姿に、サソリーナはバカにしたように笑った。

「これが伝説の戦士、プリキュア？　なんて情けないのかしらぁん」

その時、ようやくキュアブロッサムが意識を取り戻した。

「どうなってしまったのでしょう、私の体？　パワーがあり過ぎてコントロールできません……」

「あははは っ！　デザトリアン、今のうちにやっちゃってぇん！」

デザトリアンは咆哮を上げ、再び襲いかかってきた。

「ひえ〜〜〜っ！」

キュアブロッサムが逃げ出そうとするのを、妖精たちが懸命にスカートを引っ張って止めた。

「逃げてばっかりじゃ駄目ですぅ！」

「プリキュアなんだから戦うです！」

「は、放してぇ！　スカート脱げちゃう！」

キュアブロッサムが涙目になりながら妖精たちに訴えた。

やむなく妖精たちが手を放すと、

「わっ！」

と、キュアブロッサムは顔面から地面に倒れこんだ。

「なんて間抜けなの。史上最弱のプリキュアなんじゃないのぉん」

サソリーナが完全にバカにしきって言った。

その間にも、デザトリアンは攻撃を仕掛けてきて、強力なパンチをキュアブロッサムに浴びせてくる。

キュアブロッサムはとっさに身を屈めて躱すと、再び逃げ出した。

デザトリアンは追いかけてきて連続でパンチを放つが、キュアブロッサムはちょこまか動き回って躱していく。

イライラし始めたサソリーナが、

「ええい！　ちょこまかと！」

みずからの髪の毛を三つ編みに変形させると、急速に伸ばしてキュアブロッサムの両足に巻きつかせた。

「ああっ！」

サソリーナが髪を引っ張り、キュアブロッサムを地面に叩きつけた。

「きゃあっ！」

キュアブロッサムが悲鳴を上げた時、突進してきたデザトリアンに両手で摑み取られてしまった。その凄まじいパワーで胴を絞め上げられたキュアブロッサムは息ができなくなり、苦悶の表情を浮かべた。

「キュアブロッサム‼」

妖精たちの悲痛な叫びが響いた。

「デザトリアン、一気に握り潰しちゃってぇん！」

サソリーナが命令した時だった。

突如、無数のバラの花びらを含んだつむじ風が出現したかと思うと、キュアブロッサムとデザトリアンを包み隠した。

次の瞬間、悲鳴を上げたデザトリアンがサソリーナの前に転がり出てきた。

「な、何っ⁉」

サソリーナが驚くと、バラのつむじ風が消えて、キュアブロッサムを抱きかかえた青年が現れた。キュアムーンライトも助けられたことがある大正時代の書生風の姿をしたコッペであった。

コッペとは知らず、キュアブロッサムは抱きかかえられたまま眩しそうに青年の顔を見上げて、頰を赤らめたが、そのまま気を失ってしまった。

「あ、あれは！」

「カッコいいです！」

妖精たちが嬉しそうに叫ぶと、サソリーナもつられて、

「あらっ、いい男！　……っていうか、何者なのよぉん⁉」

デザトリアンは怒りの雄叫びを上げ、ゴリラのように胸を叩くと、青年姿のコッペに襲いかかってきた。

コッペはキュアブロッサムを抱いたまま素早くジャンプし、ジャングルジムの頂上に着

地すると、サッと左手の人差し指を天に突き上げた。

すると、また無数のバラのつむじ風が起こり、その姿を隠した。

やがて、つむじ風が止むと、二人の姿は消えていた。

「き、消えた⁉ どうなってんのよぉん！」

デザトリアンとともに周囲を見渡すが、青年の姿はなく、シプレとコフレの姿も消えていた。

「んもう、妖精まで取り逃がすなんてぇん！ デザトリアン、なんとしても捜し出すわよぉん！」

二人は植物園の方へ駆けだした。


プリキュアの変身が解けたつぼみが目を覚ましたのは、植物園のぬいぐるみ館の太い木の切り株の上だった。

つぼみの祖母、花咲薫子がその頭を優しく撫でていた。

「ようやく気づいたようね」

薫子が話しかけると、つぼみは驚いて起き上がった。

「おばあちゃん……⁉」

それから、周囲を見渡すと、大きなぬいぐるみ姿のコッペがボ～ッとした表情ですぐ近くに立っていた。

「え？　どうして、私、ここに来ているんでしょうか？」

「私が温室に入ってきたら、ここで倒れていたのよ」

つぼみがキュアブロッサムになったことを知らない薫子が答えた。

その時、シプレとコフレが温室に飛び込んできた。

「ここにいたですぅ！」

「あっ！　キュアフラワーです！」

妖精たちは薫子に抱きついた。

「シプレにコフレ、久しぶりねえ」

薫子は満面に笑みを浮かべて、妖精たちを抱き締めた。

「え？　えっ？　おばあちゃん、この子たちと知り合いなのですか？」

「ええ」

「今、この子たちがキュアフラワーって言っていたみたいなんですけど……」

「じつは、私、昔はプリキュアだったの」

「お、おばあちゃんが!?」

「そうよね。コッペ」

薫子はコッペを見て言った。

その途端、

「あーっ、伝説の妖精……」

「コッペ様ですぅ〜！」

妖精たちはコッペの前に飛んでいき、抱きつくと、頰擦り(ほおず)りを始めた。

「伝説の妖精、コッペ様？」

「コッペは私がプリキュアだった頃のパートナーでね、シプレやコフレの大先輩の妖精なのよ」

妖精たちが頰擦りをしている間も、コッペは無表情でボ〜ッとしている。

「あれが妖精？　全然違うような……」

「カッコいいですぅ〜」

「ボクも早くコッペ様のようになりたいです」

意外な二人の言葉に、つぼみはずっこけそうになった。

「ど、どこがカッコいいんですか？」

と、つぼみが言うと、妖精たちがギロリと睨(にら)みつけた。

「つぼみ、失礼ですぅ！」

「コッペ様はボクら妖精たちの憧れです！　史上最弱のプリキュアに言われたくないです」

三人の会話を聞いていた薫子の表情が強張った。

「ちょっと待って。今、つぼみがプリキュアって……」

すぐに、シプレが飛んできて、

「そうですぅ！　つぼみが、『こころの大樹』の夢を見たって言うんで、『ココロパフューム』を渡したら……」

コフレも飛んできて、

「キュアブロッサムに変身できたです」

薫子は再び驚き、

「つぼみ……つぼみが見た夢って、もしかしてキュアムーンライトが倒される夢？」

つぼみは頷き、

「何度も何度も繰り返して見るんです。それで、おばあちゃんに聞けば何か分かるんじゃないかと思ったら、この子たちに出会って、無理矢理プリキュアに……」

「ボクらを追いかけてきた『砂漠の使徒』の幹部、サソリーナとデザトリアンに襲われたです」

「そうだったの……まさか、つぼみがプリキュアになるとはね」

薫子は動揺しているようだったが、すぐに笑みを浮かべて言った。

「でも、花が大好きなつぼみなら、十分その資格はあるわね」

「ねえ、おばあちゃん、『こころの大樹』って何なんですか？」

「『こころの大樹』は、すべての『こころの花』の源なの」

「『こころの花』の源？」

「人間は一人一人、心の中に自分だけの『こころの花』を持っているの。その花は種類も色も違っていてね、同じ物は一つもないの」

「私も『こころの花』を持ってるんですか？」

「勿論よ。『こころの大樹』は、『こころの花』と目に見えない力で繋がっていてね、『こころの花』が萎えたり、悪い色に変わってしまったりしたら、『こころの大樹』は弱ってしまうの」

薫子の説明を聞いていたつぼみが、えりかの『こころの花』を思い出した。

「そう言えば、妖精さんたちが、えりかさんの『こころの花』の色が赤くなったって……」

そう言いかけて、つぼみはハッとなった。

「そうだ！　えりかさんは⁉」

「心配ないです」

胸のハートマークが輝くと、えりかが入った球体が出てきて宙に浮かんだ。

薫子が球体を覗き込むと、胎児のように体を丸めたえりかが苦悶の表情を浮かべている。つぼみも覗き込むと、先程より苦しそうである。

「かわいそうに……『こころの花』が弱りだしているのね」

「サソリーナたちの仕業ですぅ！」

シプレが怒りの表情を浮かべて言った時、コッペの表情が突然険しくなり、入り口の方を見た。

すると、温室の外の方から悲鳴が聞こえてきた。

「サソリーナたちが近くまで来てるです！」

コフレが叫んだ。つぼみと薫子は顔を見合わせると、表へ飛び出していった。


二人が温室から飛び出してくると、別棟の温室の方から、デザトリアンに追われた植物園の職員や植物を見学に来ていた入園者たちが、悲鳴を上げながら逃げてきた。

薫子はそれらの人々に向かって叫んだ。

「ここで私が食い止めるから、向こうへ逃げなさい！」

人々は頷くと、通りの方に逃げていった。それを温室の入り口で見送った妖精たちが飛び出してきてつぼみたちと合流した。

デザトリアンは妖精たちに気づき雄叫びを上げると、別棟の温室の屋根の上にサソリーナが出現した。

「ふふふっ、見つけたわよぉん、妖精たち。さっきは邪魔が入ったけど、今度は逃がさないわよぉん！」

ジャンプしてデザトリアンの横に着地した。

「さぁ、デザトリアン！　こいつらをボコボコにしちゃってぇん」

デザトリアンは雄叫びを上げると、再びえりかの心の叫びを代弁しながらゆっくり迫ってきた。

「あたしはつぼみのためを思ってめちゃモテキャラにしてあげようと思っただけよ。それなのにももネエときたら！」

つぼみは、球体の中で苦悶の表情を浮かべるえりかを見た。

「えりかさん……！」

シプレがゆっくり近づいてくるデザトリアンを睨んで言った。

「『こころの花』の白いシクラメンが、もうすぐ真っ赤に染まってしまうですぅ」

続いて、薫子が言った。

「白いシクラメンの花言葉は『清純(せいじゅん)』。赤になると『嫉妬(しっと)』に変わってしまうわ」

つぼみは驚き、尋ねた。

「そうなったら一体どうなるんですか？」

「あとは枯れるしかないです。枯れちゃったら、この子は心を乗っ取られたまま永遠にその球の中で眠り続けるです」

　コフレの言葉につぼみは愕然となった。

「そんな……！」

「友達を助けるには、つぼみがプリキュアになってデザトリアンを倒すしかないわ」

「さあ、プリキュアに変身するですぅ！」

　薫子とシプレが言うと、つぼみが大きく頷いた。

「分かりました！」

　と言ったが、肝心の『ココロパフューム』がないことに気づき、

「えっ⁉　変身する時にシュッシュッてやるヤツがありませーん！」

「え、ええ——っ⁉」

　薫子と妖精たちが驚きの声を上げた時、直前まで迫ってきたデザトリアンが殴りかかってきた。

　つぼみたちは悲鳴を上げながらも間一髪横っ飛びをして躱して、素早く起き上がった。

　だが、デザトリアンの攻勢は続き、ぬいぐるみ館の前に追い詰められてしまう。

「『ココロパフューム』をどこにやったですぅ？」

「そんなこと言われても～……」

その時、背後から太い腕が伸びてきて握っていた拳を開けると――『ココロパフュー
ム』がある。

つぼみたちが驚いて振り返ると、コッペであった。

「コッペ様！」

妖精たちが歓喜すると、コッペはとぼけた顔でVサインを出した。

「さあ、つぼみ！　変身するのよ！」

薫子の指示に、つぼみは大きく頷き、『ココロパフューム』を摑んで構えた。

「えりかさんは私が必ず助けてみせます！」

すかさず、シプレがその前に行き、

「『プリキュアの種』、いくですぅ！」

胸のハートマークが輝き、『プリキュアの種』が飛び出すと、つぼみが摑んで『ココロ
パフューム』にセットした。

聖なる光がつぼみを包み、白いドレス姿になった。

「プリキュア！　オープンマイハート！」

『ココロパフューム』が輝くと、シュッシュッと香水を自分の体にかけて、プリキュアに
変身した。

「大地に咲く一輪の花　キュアブロッサム！」

決めポーズをとると、デザトリアンが脳天踵落(のうてんかかとお)としを放ってきた。

キュアブロッサムは両手で受け止めると、気合もろともデザトリアンの脚を押し返した。デザトリアンは吹っ飛び、植物園の屋外の花壇を飛び越えて、地面にひっくり返った。

「何をやってんのぉん！　もっと気合入れて戦いなさいよぉん！」

デザトリアンは起き上がり、花壇を踏み潰しながら猛然と突進してきた。

「植物園の方々が大事に育てた花を！　私、堪忍袋の緒が切れました！」

キュアブロッサムはみずから突進していき、デザトリアンと激しい肉弾戦を繰り広げる。

デザトリアンの放つパンチを、素早い動きでことごとく躱すと、強烈な後ろ回し蹴りを浴びせた。デザトリアンが悲鳴を上げよろけたところに、キュアブロッサムは連続ストレートパンチを腹に浴びせて、最後に強烈なアッパーカットを放った。デザトリアンは堪らず、後方に吹っ飛んだ。

キュアブロッサムはパンチの強さに驚いて、自分の拳を見た。

「さっきよりなんか強くなっています……！」

「友達や花を助けようとする気持ちが、プリキュアの能力を高めているのよ！」

薫子の言葉に、キュアブロッサムは、

「そうなんですか！」

もう一度自分の拳を見ていると、コフレが叫んだ。

「感心してる場合じゃないです！」

「そうでした！」

キュアブロッサムはよろけながら起き上がったデザトリアンに向かって駆けだすと、ジャンプして、

「たあああ――っ！」

と、飛び蹴りを放とうとした。だが、サソリーナが、

「そうはさせないわよぉん！」

髪の毛を瞬時に伸ばし、キュアブロッサムの体をグルグル巻きにすると、地面に叩きつけた。

悲鳴を上げるキュアブロッサムに、さらに髪の毛の先のサソリの毒針を向けた。

「ふふふ、この毒針に刺されたらイチコロよぉん！」

毒針が蛇の鎌首のように動き、キュアブロッサムの喉元に近づいていったが、キュアブロッサムは渾身(こんしん)の力で腕を絞めつけていた髪の毛を引き剝がすと、両手で毒針の根元を摑んだ。

「人の心を踏みにじる者よ！　ここは一歩も引きません！」

そう叫ぶと、そのままジャイアントスイングを開始して、目を回しながら悲鳴を上げるサソリーナから手を放した。サソリーナは勢いよく空の彼方に吹っ飛んで行って消えた。

「やっぱりプリキュアは強いです！」

コフレは歓喜したが、シプレは冷静にキュアブロッサムに指示を出した。

「キュアブロッサム、今のうちにデザトリアンを倒して、友達の『こころの花』を奪い返すですぅ！」

キュアブロッサムがデザトリアンを見ると、片膝をつき肩で息をしている。

「倒すって、どうやって倒すのですか？」

「ブロッサムタクトを使うです！　右手を天に翳して『集まれ花のパワー！　ブロッサムタクト！』って叫ぶですぅ！」

キュアブロッサムは、言われた通り右手を天に翳して叫んだ。

「集まれ花のパワー！　ブロッサムタクト！」

すると、胸のエンブレムから、キュアムーンライトのムーンタクトと色違いの、先端がピンク色のタクトが出現した。シプレはさらに続けた。

「『花よ輝け！　プリキュア・ピンクフォルテウェイブ！』って叫んで、デザトリアンに向かって振り下ろすですぅ！」

「分かりました！」

キュアブロッサムはタクトを構えると、

「花よ輝け！　プリキュア・ピンクフォルテウェイブ！」

と叫び、デザトリアンに向かって振り下ろした。タクトの先からピンクの花の形をした強烈なエネルギー弾が飛び出して、デザトリアンに命中した。デザトリアンが聖なる光に包まれてロックオンされた。

「気合を込めてタクトのドームを回せば浄化できるですぅ」

キュアブロッサムは言われた通り、左手で回しながら気合の声を上げた。

「はあああああああ‼」

デザトリアンを包んでいた光がさらに輝き、デザトリアンは光の粒子となり、それが消えると、元の人形とえりかの『こころの花』が入ったクリスタルに分離した。

人形は地面に落ち、クリスタルはキュアブロッサムがキャッチした。

クリスタルの中で赤く染まり萎れていたシクラメンの花が白くなっている。

「さぁ、『こころの花』をこの子に戻してあげるです」

コフレがえりかが入っている球体を差し出すと、キュアブロッサムが八角錐のクリスタルをその上に付けた。

二つのクリスタルが聖なる光に包まれると、気を失ったえりかが元の姿になって現れた。えりかが倒れそうになるのを、キュアブロッサムが抱き止めた。

えりかは先程つぼみが倒れていた切り株の上に横たわっており、静かに目を覚ました。

「ここは……!?」

上体を起こすと、背後でつぼみの声がした。

「おばあちゃんの植物園の温室です」

えりかが驚いて振り返ると、笑顔のつぼみと薫子が立っていた。

「どうして、あたしここにいるの？」

「公園の前で倒れていたんで、つぼみとここに連れてきたのよ」

薫子が答えた。

「そうだったんだ……」

えりかは腕組みをして、小首を傾げながら何事か考え込んでいる。

「どうしたんですか、えりかさん？」

「眠ってる間に、超リアルな夢を見ちゃったの。私の体から花が取り出されて、それが人形に取り憑いて暴れ回る夢……」

「えっ!?」

つぼみが驚きの声を上げた。

「それを、キュアなんちゃらとかいう女の子が現れて……」

「そ、それは……」

戸惑うつぼみを制して、薫子が首を横に振った。

つぼみが頷くと、薫子がクスッと笑い、

「ふふ、面白い夢ね」

「ですよね」

そう言うと、えりかがゆっくり立ち上がり、つぼみの前に歩み寄った。

「つぼみ、ごめんね。あたしって相手のこと考えないで、自分の思ってることついつい押しつけちゃうんだよね。ももネエと違って……」

えりかが素直に謝ってくれたことで、つぼみは嬉しくなり、

「そんなことありません。変わろうとしていた私のことを思ってやってくれたことですから」

「あたしのこと、怒ってないの？」

「はい。それより、えりかさん……」

「さん付けはやめて。えりかでいいよ」

「じゃあ、えりか、ファッション部に入れば、このお人形、もっとかわいくできますか？」

手に持っていた人形を見せた。人形はもともと汚れていた上、デザトリアンになって暴れたために、あちこち損傷していた。

「えっ！　ファッション部に入ってくれるの？」

「園芸部と掛け持ちでよければ……ですけど」

「ありがとう！　大歓迎だよーっ！」

えりかは大喜びでつぼみに抱きつくが、右手にエコバッグを持っていることに気づくと、

「あっ、いけね！　買い物途中だった！　またももネエにツッコまれそう〜……つぼみ、つぼみのおばあちゃん、倒れてるのを助けてくれてありがとう！　じゃあ……」

と言いかけて、つぼみから人形を取り上げた。

「明日までに、あたしが直しといてあげる！　じゃあね！」

えりかは手を振りながら、温室を飛び出していった。

つぼみと薫子が笑顔で見送り、えりかの姿が見えなくなると、背後のコッペの胸に隠れていたシプレとコフレが飛び出してきた。

「めでたし、めでたしですぅ！　……あっ！」

突然、シプレがお尻をフリフリし始める。

「プリプリプリ」

「『こころの種』が生まれるです！」

コフレの胸のハートマークが閃光すると、『ココロポット』が出てきた。

「プリリン」

シプレのお尻からは、『こころの種』が飛び出してきた。

コフレはそれをキャッチすると、『ココロポット』の蓋を開け、セットした。そして、

つまみをクルッと回すと、種がポットの中に落ち、乾いた音を立てた。

「何ですか、それ？」

つぼみが尋ねると、薫子が答えた。

「『こころの種』よ。えりかちゃんの『こころの花』が浄化されたから生まれたの。この『ココロポット』に『こころの種』がいっぱい集まった時、『こころの大樹』は元気になるの」

「そうなんですか……」

「『こころの大樹』を枯らせ、人々の心をなくそうとしている『砂漠の使徒』は、必ず攻撃を強めてくるわ」

「大丈夫ですぅ！　ワタシのパートナーのつぼみがプリキュアとなって、きっと守ってくれるですぅ！」

シプレが笑顔で言った。

「あなたが、私のパートナーなんですか？」

「はいですぅ！『プリキュアの種』を出したり、アドバイスをしたりするですぅ」

「そうなんですか。えーっと……」

「シプレですぅ。よろしくですぅ！」

「こちらこそ！」

つぼみが右手の人差し指を差し出して、シプレと握手した。

すると、コフレがせっかくの良いムードに水を差した。

「つぼみ一人だけじゃ心配です。なんてったって、史上最弱のプリキュアですから」

「な、何ですか、それ！　ちゃんとデザトリアンを倒したではありませんか」

つぼみが不満そうに言うと、コフレはそれには答えず、

「ボクもプリキュアになってくれるパートナーを早く探したいです」

「きっと見つかるわよ」

薫子が笑顔で言い、つぼみを見た。

「シプレとコフレは、うちで預かることにしましょう」

「でも、二人を見たら、お父さんとお母さんはびっくりするのではないでしょうか？」

「大丈夫ですぅ！　ワタシたち、ぬいぐるみのフリをするですぅ」

「それじゃ、家に帰りましょう」

薫子は妖精たちを抱くと、つぼみとともに温室を後にした。


四人が温室から出てくると、隣の温室の前で職員たちがデザトリアンに踏み潰された花壇の手入れをしていた。

「私たちもお手伝いした方がいいのではないでしょうか？」

つぼみが尋ねると、

「気にしないで大丈夫よ。みんなが丁寧に直してくれるわ」

薫子は微笑んだが、すぐに真剣な表情に変わり、

「それより、プリキュアは大きな力を持っているから、戦い方には気をつけなさい」

「はい。でも、なんだか私、プリキュアになったおかげで少し変われたような気がします」

「まあ、それはよかったわね……本当のこと言うとね、おばあちゃんはつぼみを危険な目には遭わせたくなかった……」

「おばあちゃん……」

「でも、『こころの大樹』を守らなければならないのがプリキュアの使命。プリキュアになったからには、あらゆる困難にも立ち向かっていくしかないわね」

薫子の言葉につぼみは大きく頷いた。薫子は微笑み、続けた。

「あなたは名前の通り、まだ蕾(つぼみ)だけど、プリキュアとなって頑張れば、きっと大きな花を咲かせることができるわ」

「本当ですか、おばあちゃん？」

薫子が頷いたので、つぼみは嬉しくなり薫子を見ながら後ろ向きに歩きだした。

「花咲つぼみ、頑張るぞ！　お――――っ！」

拳を突き上げた途端、植え込みにぶつかり、

「きゃっ！」

と叫び声を上げて尻餅をついた。

「心配ですぅ……」

「同じくです」

妖精たちは呆れ返った。

「もう、つぼみったら！　うふふ」

薫子が笑うと、つぼみも頭を掻きながら笑い、妖精たちもつられて笑いだした。

空には新しいプリキュアの誕生を祝うように一番星が輝いていた。


その夜、翌日の世界史の予習をしていた月影ゆりは、教科書でよく分からない箇所を調べるために、パソコンを立ち上げた。すると、ネット・ニュースで、新しいプリキュアが現れて、『砂漠の使徒』を撃退した記事が目に飛び込んできた。

――シプレたちが探してくれたのね。

そう思うが、ゆりはそれ以上考えないようにしていた。

自分はもうプリキュアにはなれない上に、シプレとコフレを見れば、当然の如くコロン

のことを思い出してしまう。

そう考えただけでも、心の奥底に封印していたコロンとの楽しい思い出が蘇ってきて、胸が張り裂けそうになる。

ゆりは、あの日以来薫子の植物園には近づこうとしなかった。薫子に会えば、気を遣わせてしまうし、あの悲劇からまだ立ち直れずにいる自分の姿を見せるのが辛かった。

――もう私はプリキュアではない。『砂漠の使徒』たちとの戦いは新しいプリキュアに任せよう。

ゆりはそう自分に言い聞かせて、心を閉ざしたまま高校生活を送ろうと思った。

次の日の早朝、つぼみが繰り返し見た、キュアムーンライトがサバーク博士とダークプリキュアに敗れる夢を見た少女がいた。

来海えりかであった。

その日の昼休み、学校の校舎の屋上で二人きりで弁当を食べにきたえりかがつぼみに夢の話をした。すると、つぼみの弁当箱に隠れてついてきた妖精たちがいきなり飛び出してきて、えりかにプリキュアになってくれと頼んだ。

つぼみに頼んだ時と同じように、ぬいぐるみのような妖精たちの出現にえりかは驚いたが、つぼみと妖精たちの熱心な説明に理解を示した。

ところが、そこへ、生徒会の役員たちを率いてやって来た生徒会長の明堂院いつきから、ファッション部の部員名簿を今週末までに提出してくれないと、今年度の予算が出せないことを聞かされたえりかは慌て捲り、2番目のプリキュアになる話は立ち消えになってしまった。

部員が五人集まらないと、同好会に格下げされて予算が貰えないことになってしまうファッション部の部長のえりかは、つぼみとともに部員集めに奔走することになった。

そんな中で、サッカー部に入部を申し込むが、女子という理由だけで断られて落ち込んでいた新入生の上島さやかがサソリーナに『こころの花』を奪われ、サッカーボールのデザトリアンにされる事件が発生した。

妖精たちから知らせを受けたつぼみが、河川敷のサッカーグラウンドで暴れているデザトリアンを浄化するために急行した。

しかし、小学校までは男子と一緒にプレーしても遜色ない活躍をしていたにも拘らず、サッカー部の入部を拒否されたさやかの悲しみから暴れるデザトリアンは強く、キュアブロッサムは苦戦をしいられていた。

そこへ、土手の上をやって来たえりかが、昨日『こころの花』を奪われて眠っている間に見た夢と同じ光景を見て、『こころの花』を奪われたさやかの気持ちを代弁しながら暴れるデザトリアンに愕然となる。

コフレが拾ってきたクリスタルの球体の中で、苦しそうな表情を浮かべるさやかを見た瞬間、えりかはプリキュアになる決意をした。

「あたしが二人目のプリキュアになる！」

「ホントですか⁉」

「コフレ、早く『ココロパフューム』を渡すですぅ！」

「はいです！」

コフレの胸のハートマークが輝くと、『ココロパフューム』が飛び出した。

えりかはキャッチすると、河川敷へ駆け下りていった。

ボール型のデザトリアンは体を独楽のように回転させて竜巻を起こすと、キュアブロッサムを弾き飛ばした。

キュアブロッサムは悲鳴を上げ、サソリーナの前に転がり落ちた。

「はははは っ、デザトリアン、踏み潰しちゃってぇん！」

デザトリアンは回転を止め、強いダメージを受けて起き上がれないキュアブロッサムに迫ってきた。

「そうはさせないわ！」

えりかが駆け寄ってきて、キュアブロッサムを庇うようにその前に立ちはだかる。

「な、何よぉん、おまえは？」

えりかは答えず、肩を貸してキュアブロッサムを抱き起こした。

「え、えりか……」

キュアブロッサムがえりかの横顔を見た。

「あたしもプリキュアになる！」

えりかは力強く宣言すると、追いかけてきたコフレに向かって『ココロパフューム』を構えて叫んだ。

「『プリキュアの種』を頂戴！」

「『プリキュアの種』、いくです！」

コフレのハートマークが輝き、『プリキュアの種』が飛び出すと、えりかはキャッチして『ココロパフューム』にセットした。

「プリキュア！　オープンマイハート！」

そう叫ぶと、聖なる光に包まれて白いドレス姿になる。続けてえりかが聖なる香水をシュッシュッと体にかけていくと、ブルーを基調にしたコスチュームが装着される。

「海風に揺れる一輪の花　キュアマリン！」

と、カッコいい決めポーズを取った。コフレは驚愕した。

「な、なんで教えてないのに、プリキュアに変身できるですか？」

「昨日夢で見てたし、名前は昼間頼まれた時から考えてたの」

さすがである。こういう要領のよさは、妹キャラの真骨頂と言っていいだろう。

サソリーナは2番目のプリキュアの出現に驚きつつも、

「デザトリアン、何ボケッとしてるのよぉん！　二人まとめてやっつけちゃってぇん！」

デザトリアンは雄叫びを上げると、手足を引っ込め、縦回転しながら突っ込んで二人を潰そうとする。

キュアマリンはキュアブロッサムを抱き上げると、軽々とジャンプして躱した。

デザトリアンは、逆回転して急停止した。キュアマリンは着地すると、

「ここはあたしに任せて休んでて！」

キュアブロッサムを下ろして、デザトリアンの前へ駆け寄った。

「デザトリアン、さあ、あたしが相手よ！　かかってきなさい！」

デザトリアンは雄叫びを上げると、独楽のような回転で竜巻を起こし、キュアマリンに突っ込んできた。

「同じ手はあたしには通用しないっつーの！　とりゃあ！」

キュアマリンはジャンプして躱すと、竜巻の中で回転するデザトリアンの真上で止まった。

「上は隙(すき)だらけよ！　たあーっ！」

両足を揃(そろ)えて竜巻の中に突っ込んだ。

デザトリアンの悲鳴が上がり、竜巻が消えると、その頭部に両足を食い込ませたキュアマリンが現れた。

キュアマリンは素早く体を反転させて着地すると、猛然と突進していき、右足を後ろに振り上げ、猛烈なキックを放った。

デザトリアンは悲鳴を上げ吹っ飛び、離れた橋桁(はしげた)に激突して地面に倒れた。

「キュアマリン！　『こころの花』を取り返すには……」

コフレが説明しようとするのを制して、

「それも分かってるって！」

キュアマリンは右手を突き上げると、

「集まれ花のパワー！　マリンタクト！」

そう叫ぶと、胸のエンブレムから、先端がブルーのタクトが出現した。

「コフレ、この後はどうするの？」

「『花よ煌(きらめ)け！　プリキュア・ブルーフォルテウェイブ！』って叫ぶです！」

「了解！」

タクトのクリスタルドームを左手で回すと、周囲からブルーの光が集まってきて、タクトの先が輝きだした。

「花よ煌け！　プリキュア・ブルーフォルテウェイブ！」

キュアマリンがタクトを振ると、ブルーの花の形をしたエネルギー弾が飛んでいきデザトリアンに命中した。聖なる光がその体を包み込み、ゆっくり宙に浮き上がった。

すかさず、キュアマリンは気合を込めてタクトのドームを左手で回転させた。

「はあああああ！」

デザトリアンは笑みさえ浮かべて浄化され、元のサッカーボールに戻り、地面に落ちた。

そして、分離したポインセチアの『こころの花』が入ったクリスタルが宙に浮いている。

キュアマリンがクリスタルを摑んだ時、サソリーナが怒りをあらわにして睨みつけた。

「おのれ、今度は私が相手よぉん！」

いつものように髪の毛を伸ばそうとしたが、体力が回復したキュアブロッサムがジャンプしてきて、キュアマリンの横に着地した。

「元気回復！　これ以上悪さを働こうというのなら……」

二人は、さっと背中合わせになり、

「私たちが相手よ！」

サソリーナを指差した。二人の迫力に、サソリーナはおなじみの捨て台詞、

「お、おのれ、プリキュア！　今日の所はこれくらいで許してやるわぁん！」

早口で言うと、閃光とともに消えた。

「キュアマリン、やりましたね！」

「イエーイ！」

二人がハイタッチすると、妖精たちが飛んできた。

「キュアマリン、早くこの子を元に戻してあげるです」

さやかが閉じ込められているクリスタルの球体を差し出した。

「了解！」

八角錐のクリスタルの先を球体に置くと、聖なる光に包まれた球体の中から元の大きさに戻ったさやかが出てきた。

二人は変身を解くと、さやかを橋の下へ連れていった。

目を覚ましたさやかは、眠っている間に見た夢の話をした。

「私、間違ってました。女の子だから中学ではもうサッカーできないって勝手に思い込んで、ヤケになって……」

「でも、サッカー大好きなんでしょう？」

つぼみが尋ねると、

「はい！　私、女子サッカー部を作ります！」

さやかの前向きな発言に、

「あっ、それ、いい！」

えりかは笑顔で頷いた。

「よーし、私も先輩たちみたいに、部員集めします！　それじゃあ、失礼します」

さやかは一礼すると、ボールを蹴りながら去っていった。

「頑張ってくださいね！」

「ファイト！」

つぼみとえりかが手を振り見送っていると、橋脚の裏に隠れていた妖精たちも出てきた。

「ポインセチアの花言葉は、『私の心は燃えている』です。きっと、あの子は素敵な女子サッカー選手になれるんじゃないでしょうか」

えりかも笑顔で頷いた時、コフレが突然お尻をフリフリし始める。

「プリプリプリ、プリリン」

お尻から『こころの種』が飛び出してきて、シプレがキャッチした。

コフレのハートマークが閃光すると『ココロポット』が出現して、シプレが『こころの種』をその中に入れた。

二人は学校に鞄を取りに行き、夕暮れの中を帰宅の途に就いた。そして、昨日人形のデザトリアンと戦った公園に差しかかった時である。

「そうだ。渡すの忘れてた」

えりかが鞄の中から、かわいい服に着せ替え、破れたところを縫い直した女の子の人形を出して、

「はい、昨日預かってた人形」

「直してくれたんですね。ありがとうございます」

その時、すぐ近くの植え込みの横で、5歳ぐらいの女の子と母親が何やら捜しているのが見えた。

「?」

二人が顔を見合わせてから近づいていくと、女の子はつぼみが持っている人形に気づき、

「あっ、マコちゃん……!」

「！　ひょっとして、この人形、お嬢ちゃんのですか?」

女の子がコクリと頷いた。

つぼみは不審そうに見ている母親に気づき、説明をした。

「あっ、昨日ここに落ちてたのを拾ったんです。それを彼女がリメイクしてくれたんですよ……はい」

目でえりかを示した後、人形を女の子に渡した。母親は安心したのか笑顔になって、

「そうでしたか、ありがとうございます。よかったわね」

「うん。ありがとう、お姉ちゃん」

女の子がえりかにお礼を言った。

「どういたしまして」

手を振りながら母親と去っていく女の子を見送り、二人の顔にも笑顔が浮かんだ。

「なんかいい事した後って、気持ちがいいよね」

「ええ！　えりか、これからもプリキュア、二人で頑張りましょうね！」

「うん！　部員集めもねっ」

その時、つぼみの腹がグーッと鳴った。

つぼみは顔を赤らめると、

「そう言えば、シプレたちがお弁当箱の中に隠れていたおかげで、お昼ご飯、食べ損ねていました」

「ははははは、美味しいクレープ屋さん知ってるから、食べにいこう！」

「はい！」

つぼみとえりかは手を繋（つな）ぐと、元気よく駆けだした。

翌日、二人目のプリキュアが現れたニュースは希望ヶ花市の人々に知れ渡った。

当然、月影ゆりも母親やクラスメートの会話を通じて知ることになった。

ゆりはキュアブロッサムの時と同じように、無視しようと考えた。

しかし、何度も希望ヶ花市内でデザトリアンが暴れるために、ゆりは新しい二人のプリキュアたちの戦いぶりを目撃することになる。

そのたびに、未熟なキュアブロッサムやキュアマリンと、キュアムーンライトだった頃の自分とを比較してしまう。二人はプリキュアが持つ能力だけで戦っている。何の工夫もなければ、個々の技を磨く努力もしていない。

――私が一人で戦っている時より危うい。なぜ、二人で戦う意味を考えないの。

ゆりは二人の戦いぶりを見るたびに、苛立（いらだ）ちを感じた。

とくに酷いのは、妖精たちとの関わり方だった。ゆりがキュアムーンライトになって『砂漠の使徒』やデザトリアンと戦う時は、たえずコロンの位置を確認して、彼が戦いに巻き込まれないように考えていた。コロンの方も必要なアドバイスをする時以外は姿を消しているか、声が届くギリギリの距離を保っていた。

そうしたのは、二人が話し合って決めたことではない。互いに信頼し合い、深いパートナーシップで結ばれていたからこそだった。

それなのに、キュアブロッサムもキュアマリンもいったん戦いになれば、妖精たちのことなどほったらかしにしていた。妖精たちもまだ幼く、コロンのように消える能力がないため、たえずその姿を敵に晒（さら）していた。

もし、敵が妖精たちに牙を剝いて、取り返しがつかないことになったら、『プリキュアの種』が使えなくなり、プリキュアになれない。そうなれば、確実にこの地球は『砂漠の使徒』たちに支配されてしまう。

そう考えると、ゆりはいたたまれず、薫子が不在の時を狙ってコッペがいるぬいぐるみ館を訪れたことがあった。自分がそうであったように、厳しい『砂漠の使徒』との戦いで精神的に疲れた新しいプリキュアたちがコッペに癒やされにやって来ると考えたからだ。

ゆりの思惑は的中して、その日つぼみとえりかはやって来た。そして入ってくるなりコッペに抱きついて、癒やされていた。二人は先に温室に来てゼラニウムの鉢植えを屈んで見ていたゆりに気づいた。ゆりは二人が新しいプリキュアであることは、コッペに話しかけているのを見てすぐ分かった。

――あの子はたしか……。

新学期が始まった日に校門の前で、クローバーを見ていた転校生らしき生徒だった。

ゆりはこちらを見ているつぼみとえりかに尋ねた。

「ゼラニウムの花言葉をご存知かしら？」

すぐにつぼみが答えた。

「『真の友情』、『信頼』だったと思います」

えりかがすかさず、

「まるで、あたしたちのようだよね」

と言い、つぼみと微笑み合った。

ゆりは怒りをグッと堪えて立ち上がると、

「どうやら、本当の意味を知らないようね」

と言い捨てて出ていった。二人はゆりの真意が分からず、唖然と見送っていた。

ゆりは勿論プリキュア同士の信頼や友情は大事であるが、妖精とも同じぐらいの気持ちでもっと強い絆で結ばれて欲しいと思っていたのだ。

だが、その日、つぼみとえりかがここに来たのは、単にコッペに癒やされるためだけではなかった。幹部たちの不甲斐ない戦いぶりに怒ったサバーク博士が、ついにダークプリキュアを出撃させ、つぼみたちがプリキュアに変身する隙さえ与えず、シプレとコフレを奪ってしまったのだ。ダークプリキュアは妖精たちの命と引き換えに、プリキュアたちに『こころの種』を要求してきた。二人は善後策を薫子に授けてもらおうとぬいぐるみ館を訪ねてきたのだ。

二人はゆりの言葉の真意を知り、仲間としてもパートナーとしても妖精がどんなに大切か知ることになり、圧倒的なパワーを持つダークプリキュアに立ち向かうことを決意した。

ダークプリキュアと一緒に来ていたサソリーナが『こころの種』が入った『ココロポット』を受け取る前に、戦いを仕掛けてきた。

シプレとコフレがダークプリキュアに捕らわれているため、つぼみとえりかは手も足も出せずにいたが、例のイケメン書生風の姿に変身したコッペが現れて、妖精たちを奪取してくれた。

二人はすぐにプリキュアに変身してサソリーナを撃退するが、ダークプリキュアの圧倒的な攻撃には全く歯が立たず、敗れてしまい、変身が解けてしまった。

だが、ダークプリキュアがトドメを刺そうとした時、その視界の奥に一人の少女が現れるのが見えた。月影ゆりだった。

ゆりは死んだものだと思っていたダークプリキュアは一瞬驚きの表情を浮かべたが、

「……そういうことだったのか」

と呟き、不敵な笑みを浮かべてその場を立ち去ったために、つぼみとえりかは難を逃れることができたのであった。


それから数週間が過ぎた土曜日のことだった。季節は夏に向かっていた。

ゆりは学校が休みなので、夜遅くまで受験勉強と読書で珍しく寝坊をしてしまった。

ゆりが台所に行くと、すでに母、春菜が朝食の支度をして待っていた。ゆりは寝坊をしたことを謝り席に着いた。父、英明の席の前には、いつもの通りに食器と箸が置いてあった。

英明がパリで消息を絶ってから、すでに3年経っている。ゆりは自分が春菜に希望を持たせるために始めた習慣とはいえ、もう父の食器を並べたり、父のための惣菜を用意したりするのをやめた方がいいと提案した。

だが、春菜は不思議そうな表情を浮かべて、

「どうして？」

と、尋ねてきた。

「3年も連絡がないのよ。お父さんはもう……」

ゆりが言い終わらないうちに、春菜が言った。

「お父さんは生きているわ」

「どうしてそんなことが言えるの？」

ゆりの問いに、春菜は微笑みまで浮かべて言った。

「お母さんには分かるの。絶対生きているって」

答えにはなっていなかったが、ゆりはそれ以上問うのをやめた。

「お母さんには負けるな。もうやめろなんて言わないわ。それじゃあ頂きましょう」

「頂きます」

二人は合掌して朝食を食べ始めた。

ゆりは母が精一杯我慢しているのは分かっていた。娘に気づかれまいとしているのが手

に取るように分かるだけに、せめて食事の時だけでも悲しい思いをさせてはいけないと思った。そして、これからもこの悲しい習慣を続けようと心の中で誓った。

食事が済み、春菜が仕事に出かけると、ゆりは久しぶりに薫子を訪ねて植物園に行こうと思った。春菜が出がけに頼んできたこともあったが、あの日以来何度も訪ねてきてくれた薫子にまったく会おうとしなかった自分の無礼を謝ろうとしたのだ。

ゆりが部屋から出ようとした時、来海ももかから携帯電話に連絡が入った。ももかはこれから妹と妹の友達とショッピングに行くから一緒に行かないかと誘ってきたのだ。

ゆりは丁重(ていちょう)に断って、植物園に向かった。

数週間ぶりに、植物園のぬいぐるみ館を訪れたゆりは、コッペに抱きついて頬を寄せた。コッペにこうしていると、幸せな気分になれるし、優しく頭を撫でてくれるコッペの手のぬくもりに心が癒やされる思いだった。まるで、幼い頃に父に撫でられていた時のような気がして、ずうっとこのまま時間が止まってくれないかと思うほどだった。

その時、薫子が温室内に入ってきた。

「ゆりちゃん、来てくれたのね。久しぶり」

ゆりはすぐにコッペから離れて、薫子に対して無礼をしていたことを謝った。薫子はまったく気にしていないことを告げ、英明の新しい情報が途絶えてしまっていることを申し訳なさそうに話してくれた。

ゆりは期待していなかったので、礼だけ言って帰ろうとした時、薫子は新しいプリキュアになったのが、自分の孫のつぼみと、その友達のえりかであることを告げた。

すでに、ゆりは知っていたが黙っていた。すると、薫子はプリキュアの先輩として、二人にアドバイスだけでもしてもらえないかと頼んできた。

ゆりがきっぱりと断った時、息を弾ませながらつぼみが温室に飛び込んで来た。

つぼみは、えりかやその姉のももかとショッピングに行こうとしていたが、薫子からリュウゼツランが開花したとの連絡を受け、向こうを断って駆けつけてきたのだった。

「何十年に一度――っ！」

と、つぼみが興奮気味に叫んだ。リュウゼツランがただ一度開花するまで要する期間を言っているのだが、ゆりには何のことかさっぱり分からなかった。

薫子がつぼみにゆりを紹介すると、

「あなたはたしか……」

シプレとコフレがダークプリキュアに捕まった時にアドバイスしてくれた、明堂学園の高等部の制服を着た人物であることを思い出したのだ。

「あの時、アドバイスしていただけたおかげで、大事な友達を助けられました。本当にありがとうございました」

つぼみはゆりに頭を下げた。ゆりは薫子の手前もあり、

「私はただ……」

言い訳をしようとすると、薫子が微笑んで、

「そうだったの！」

と、ゆりを見て言った。

「違うんです！　花言葉を教えただけなんです！　それじゃ、失礼します」

ゆりは薫子に一礼して去ろうとしたが、

「待って、ゆりちゃん！　リュウゼツランの花が咲いたの。一緒に見に行かない？」

「リュウゼツラン!?」

その花の名前は、薫子や父親から聞いて覚えていた。花好きのゆりは帰るのをやめて、見に行くことにした。

三人が別棟の温室に移動して、黄色い花を咲かせるリュウゼツランに目を輝かせて感動していた時だった。

携帯電話の着信音が鳴り、つぼみが出ると、ももかとショッピングをしているはずのえりかからだった。

「えりか、どうしたんですか？　……えっ!?　駅でダークプリキュアが……」

ゆりは『駅』という単語を聞いた瞬間、すでに駆けだしていた。

ゆりの脳裏には、以前母がデザトリアンにされた悪夢が蘇っていた。

温室から飛び出していくゆりを、つぼみは唖然として見送りながら電話を切ると、顔色が真っ青になった薫子が叫んだ。

「ゆりちゃん！」

そして、つぼみに向かって、ゆりの母親が駅の売店で働いていることを話した。

「ええっ⁉」

つぼみは驚愕すると、薫子とともにゆりの後を追って駆けだした。


希望ヶ花駅の前では、大勢のスナッキーたちが暴れ回り、人々が悲鳴を上げながら逃げ惑っていた。

えりかはももかを逃げる人の波の中に押し込むと、プリキュアに変身できそうな場所を探した。

すると、駅の構内の方から女性の悲鳴と子供の泣く声が聞こえてきた。

えりかが構内の売店の前を見ると、逃げ遅れた子供を庇う春菜がスナッキーたちに威嚇され、震えていた。

その時、えりかの横をゆりが走り過ぎて、売店の前に突進すると、素手でスナッキーたちを続けざまに殴り倒していき、倒れている春菜と子供を抱き起こした。

「ゆりちゃん！」

驚く春菜に、ゆりは叫んだ。

「早く逃げて！」

春菜は頷き、子供の手を引いて駆け去っていった。

さらに襲いかかってくるスナッキーたちを、ゆりがパンチや蹴りで次々に倒していくのを見て、えりかは感嘆の声を上げた。

「す、凄い！」

だが、ゆりがスナッキーたちを全員気絶させた時、その前にダークプリキュアが現れ、二人は対峙（たいじ）したまま睨み合った。

「こうしちゃいられない！」

えりかがプリキュアに変身しようとした時、シプレ、コフレを連れたつぼみが駆け寄ってきた。

二人はすぐにプリキュアとなって、ゆりのもとへ駆けつけた。

ダークプリキュアは二人に気づくと、不敵な笑みを浮かべて言った。

「スナッキーたちを暴れさせたのは、おまえたちをおびき寄せるためではない」

刹那(せつな)、右手の掌を差し出すと、瞬時にダークなエネルギーを掌に溜め、射出した。

キュアブロッサムとキュアマリンは、一瞬のうちに駅前のロータリーの噴水の方へ悲鳴を上げながら吹っ飛んでいった。

「邪魔者は消えた」

そう言うと、ダークプリキュアはゆりに襲いかかった。

ゆりはダークプリキュアが繰り出す重くて強烈なパンチや蹴りを、なんとか躱しながら尋ねた。

「どうして、いつまでも私に拘(こだわ)るの？」

その瞬間、強烈なダークプリキュアの回し蹴りを喰らい、ゆりは駅の外へ吹っ飛んだ。

ゆりは痛みを堪えながら起き上がったが、ダークプリキュアが接近してきた。

「おまえは……おまえは私だからだ、キュアムーンライト！」

噴水の水の中から出てきたキュアブロッサムとキュアマリンにその声は聞こえていた。

「ゆりさんが……」

「キュアムーンライト⁉」

その声に、ゆりが二人を振り返った時、その隙(すき)を突いたダークプリキュアが前蹴りを放った。蹴りは腹を直撃して、ゆりは悲鳴を上げ、プリキュアたちの前の地面に転がってきた。

ダークプリキュアは、ゆりに向かって右手の掌を突き出してエネルギーを溜め始めた。

「私は一人で十分だ。おまえには消えてもらう」

プリキュアたちがゆりを抱き起こした瞬間、ダークプリキュアの掌から、凄まじい勢いで三人に向かってダークなエネルギー波が射出された。

大爆発が起こり、爆煙が辺りを包み込んだ。

その様子を離れた所で見ていた妖精たちの顔には絶望の色が浮かんだ。

「プリキュアが……」

その目からは涙が溢れ出した。

その時、風で爆煙が流れると、三人を背にして両腕をクロスした青年が立っていた。

ダークプリキュアのエネルギー波を受けたコッペであった。

シプレとコフレはすぐに歓喜の声を上げた。

ダークプリキュアは青年を睨みつけて、

「またおまえか……おまえは何者なんだ」

青年は答えず、ダークプリキュアに攻撃を仕掛けていき、凄まじい肉弾戦となった。

その隙に、薫子がゆりたちの所に駆け寄ってきて、

「みんな、今のうちに逃げるのよ！」

三人は頷き、薫子とともに走り去った。

ダークプリキュアと互角の戦いを繰り広げていた青年がパッと後ろへジャンプした。

ダークプリキュアが接近しようとした時、着地した青年はサッと左手の人差し指を天に突き上げた。刹那、無数のバラのつむじ風が起こり、その姿を隠した。つむじ風が止むと、青年の姿は消えていた。

「おのれ……」

ダークプリキュアが忌々しげに呟き周囲を見渡すと、ゆりやプリキュアたちの姿も消えているのに気づいた。

「逃げても無駄だ。これがある限り、キュアムーンライトは逃げ切れない」

そう言い、左手の掌を開くと、キュアムーンライトの割れた『プリキュアの種』が現れ、鈍い紫色の点滅を始めた。


みんなと植物園に戻った薫子は、妖精の姿に戻ったコッペの前で、ゆりの手足の傷の手当てをしていた。プリキュアたちも見守っている。

「いつも私たちを助けてくれるあのイケメンさんは何者なんでしょうか？」

キュアブロッサムが尋ねると、薫子はシプレやコフレに肩を揉んでもらっているコッペを見て、笑みを浮かべた。

「敵でないことは確かね」

その時、無表情だったコッペの表情が険しくなり、天井を見上げた。

すぐに、シプレもハッとなって叫んだ。

「ダークプリキュアが近づいてきてるですぅ！」

「コッペによって結界が張られているから、見つからないとは思うけど……」

薫子の言葉に、コフレも首を横に振って、

「でも、確実にこちらに向かってきてるです！」

傷の手当てを終えたゆりが続けた。

「おそらく、これのせいだと思います」

そう言うと、胸元からペンダントを出した。キュアムーンライトの『プリキュアの種』の片割れの一方で、鈍い光を放ちながら点滅を繰り返していた。

「そ、それは……！」

「『プリキュアの種』⁉」

プリキュアたちが驚きの声を上げると、さらに妖精たちが叫んだ。

「この場所をダークプリキュアに知られたらまずいですぅ！」

「なんとしても、ダークプリキュアを食い止めるです！」

二人は大きく頷くと、ゆりに薫子を守ってもらうように頼み、ぬいぐるみ館を飛び出していった。

先程より点滅の速度が速まった『プリキュアの種』を頼りに、片翼を開いたダークプリキュアが植物園の近くの上空を飛んでいた。

「ふふふ、近い……」

その時、植物園と隣接する公園に、キュアブロッサムとキュアマリンが待ち構えているのを発見した。

「プリキュア……！」

ダークプリキュアは二人の前に舞い降りていった。

ダークプリキュアが着地すると、二人は攻撃の構えを取り、

「ゆりさんは私たちが守ります！」

「今度は負けないんだから！」

ダークプリキュアに突進して、先制攻撃を仕掛けた。

初めは互角の戦いを繰り広げるが、実力に勝るダークプリキュアが徐々に肉弾戦を有利に進めていき、強烈な蹴りやパンチを浴びせて、二人を吹っ飛ばした。

「ゆりさんは絶対に守ってみせます……！」

二人は歯を食いしばって立ち上がると、サッと手を天に翳した。

「集まれ花のパワー！　ブロッサムタクト！」
「集まれ花のパワー！　マリンタクト！」

二人の手にタクトが出現した。

「集まれ二つの花の力よ！　プリキュア・フローラルパワーフォルテッシモ！」

二人はタクトを振ると、聖なる光が二人を包み、猛然とダークプリキュアに突っ込んでいく。

だが、ダークプリキュアもダークタクトを出現させており、

「ダークパワーフォルテッシモ！」

同じように邪悪な光を身に纏うと、急接近してくる二人に向かって飛び出した。

三つの光が激突して、大爆発が起こった。

だが、ここでもパワーの差は歴然で、煙の中から悲鳴を上げて転がり出てきたのは、プリキュアの変身が解けて、白いドレス姿になったつぼみとえりかの方だった。二人のタクトも同時に地面に落ちた。

二人は懸命に歯を食いしばりながら起きようとしたが、体が思うように動かなかった。

ダークプリキュアは自信に満ちた顔で、右手を前に突き出してダークなエネルギーを溜めてトドメを刺そうとしたその時だった。

「やめろ、ダークプリキュア！」

上空からサバーク博士の声が響いてきた。

ダークプリキュアは驚き、上空を見上げた。サバークの姿はなかったが、声だけがまた聞こえてきた。

「スナッキーどもから話は聞いた。キュアムーンライトには関わるなと言ったはずだ。すぐに戻ってこい」

「……分かりました。運のいい奴らだ」

ダークプリキュアは悔しそうに言い捨てると、片翼を広げ、飛び去っていった。

つぼみとえりかが悔しそうに見送ると、薫子とゆりが駆け寄ってきた。二人に抱きかかえられて、つぼみとえりかはぬいぐるみ館に運ばれ、怪我の手当てを受けた。

「ダークプリキュアを呼び戻した、あの声は誰だったんでしょう？」

つぼみが尋ねると、ゆりが答えた。

「おそらく、『砂漠の使徒』の大幹部、サバーク博士だと思う」

「サソリーナたちの他に、まだそんな奴がいたのか……」

えりかが表情を曇らせたのを見て、つぼみが話題を変えた。

「でも、まさかゆりさんがキュアムーンライトだったなんて……ビックリです」

「………」

ゆりは何も言わず、視線を床に落とした。

「ゆりさん、あたしたちの仲間になって、『砂漠の使徒』と戦ってください！」

えりかが頭を下げると、つぼみも続けて頭を下げた。

「お願いします！」

ゆりは俯いたまま首を横に振った。

「ゆりさん？」

元プリキュアで素手でも相当強いゆりがなぜ引き受けてくれないのか分からず、戸惑いの表情を二人が浮かべた時、ゆりがゆっくり顔を上げて言った。

「私はあなたたちと一緒には戦えないわ。母が心配しているから。じゃあ」

薫子に一礼して温室を出ていくゆりに向かって、つぼみが叫んだ。

「ゆりさん！」

さらに駆け寄ろうとするつぼみの肩を、薫子が摑んで制した。

「今はそっとしておいてあげて」

「おばあちゃん……？」

「サバークやダークプリキュアに敗れた心の傷が癒えていないの。それに……ゆりちゃんは妖精を失い、もう、キュアムーンライトにはなれないのよ」

薫子の衝撃的な言葉に、つぼみとえりかは言葉を失ってしまった。

ゆりが植物園を出てくると、反対側の歩道から春菜が駆け寄ってきた。

「ゆりちゃん！」

「お母さん……」

春菜はゆりの右手を両手で摑んだ。

「心配したのよ！　駅に戻ったらあなたがいないから、あちこち捜し回って……」

「ごめんなさい」

ゆりが謝ると、春菜は首を横に振り、

「謝らなくていいのよ。お母さんはゆりちゃんが心配なだけよ」

ゆりはコクリと頷き、母と去っていった。

その様子を、つぼみや妖精たちと植物園の門の前から見ていたえりかがポツリと言った。

「あれじゃ、もう頼めないよね」

つぼみが頷くと、妖精たちが励ますように言った。

「二人も夢で見たはずですぅ。キュアムーンライトは一生懸命『こころの大樹』を守ろうとしたですぅ」

「その意志を継いだのが二人です！　キュアムーンライトの分まで頑張るです！」

二人は真剣な表情になり、大きく頷いた。

第四章　キュアムーンライトの復活!

季節は夏になり、プリキュアたちに新しい仲間が加わった。

『こころの大樹』からシプレ、コフレに続く妖精として生まれたポプリがようやく成長して、『ココロパフューム』とプリキュアパレスに関わる重要なアイテムを携えて希望ヶ花にやって来た。

『こころの大樹』からキュアブロッサムとキュアマリンを助ける3番目のプリキュアを誕生させるように指示されたポプリは自分のパートナーとして、つぼみやえりかもよく知っている人物を指名した。

つぼみたちが通う明堂学園の創立者で明堂院流古武道の師範である厳太郎の孫、明堂院いつきである。

いつきは明堂学園の中等部で生徒会長を務めており、文武に秀でた才能を持っていた。

しかし、女子でありながら病弱な兄の代わりに明堂院流古武道の後継者になるために、自分の中の女の子の部分を捨てて、男として生きようと決めていた。制服は男子の詰め襟だし、言葉遣いも振る舞いも男そのものであった。そのため、転校生のつぼみが淡い恋心を抱いた時期もあった。

だが、いつきは心の中に無理に封印していた乙女心を、『砂漠の使徒』のコブラージャに見破られて、デザトリアンにさせられた苦い経験を持っていた。幸い、プリキュアたちに助けられ、「王者の風格」、「高貴」、「恥じらい」という花言葉を持つ牡丹の『こころの花』を取り戻すことができた。それ以降、自分に元来備わっているかわいいモノ好きであることや女の子のファッションに興味があることを隠さず、素直に家族や友達の前で表現できるようになったのである。

　この経験と、つぼみやえりかと同じキュアムーンライトが敗れた時の夢を見たことが、決定的なポイントとなり、第3のプリキュア、キュアサンシャインとして活躍することになった。

　キュアサンシャインの加入が、キュアブロッサムとキュアマリンのプリキュアとしての能力を格段に上げることにもつながった。

　いつきが受けを基本とした合気道の達人であることから、三人で戦う時はキュアサンシャインが防御を一手に引き受けてくれるために、キュアブロッサムとキュアマリンは攻撃に専念できるようになったのだ。

　さらに、いつきと親しくなったために、明堂院流古武道の道場に出入りして、稽古をつけてもらった。そのおかげで、攻撃一辺倒だったキュアブロッサムやキュアマリンも受け身の大切さを知り、『砂漠の使徒』の幹部やデザトリアンたちとの戦いでも大いに役立ち、連戦連勝を続けていた。

　キュアブロッサムやキュアマリンを一人前のプリキュアだと認めていなかったゆりも、この頃になると、キュアサンシャインの加入によって、ようやく二人が成長してきたことを認め、積極的にアドバイスするようになった。

さらに、三人の友情の強さがそのままプリキュアの強さになっていることを理解し、キュアムーンライトとして一人で戦っていた自分より強くなる可能性を感じ始めた。

一方、『砂漠の使徒』たちの間でも、変化が生まれた。

幹部の中でも出撃回数が一番多いサソリーナが、デザトリアンを浄化する際にプリキュアたちから放たれる聖なる光を浴び続けたために、自身も浄化されつつあった。

アジトの前の砂漠を眺めて、溜め息を吐いて黄昏(たそが)れるサソリーナの姿を何度も目撃したサバーク博士は危機感を抱き、よりダークパワーを発揮できる新しいアイテム『ダークブレスレット』を幹部たちに与えた。

『ダークブレスレット』のおかげで、パワーアップした幹部たちはデザトリアンの中にみずから入り込んで、自分の意のままにデザトリアンを動かして、プリキュアたちに戦いを挑んだ。

プリキュアたちは勝つには勝ったが、いつもギリギリの勝利だった。

三人が特訓によって編み出した、キュアサンシャインの必殺技『プリキュア・ゴールドフォルテバースト』と、キュアブロッサムとキュアマリンによる必殺技の『プリキュア・フローラルパワーフォルテッシモ』の合体技『プリキュア・シャイニングフォルテッシモ』がなかったら、敗れていた可能性もあった。

三人がさらに強くならない限り、三幹部を完全に浄化することも、さらなる難敵ダークプリキュアを倒すこともできないと思うようになる。

そんなタイミングで、プリキュアたちが獲得した『こころの種』が『ココロポット』にいっぱいになった。

薫子はサバーク博士が幹部たちに『ダークブレスレット』を与えたのは、彼の中に焦りが生じ始めているからではないかと考えていた。

三人のプリキュアを本気で倒そうとするならば、キュアムーンライトを倒した時のようにダークプリキュアとサバーク自身が乗り込んで来れば可能になるのではないか。しかし、いっこうに二人はプリキュアの前には現れない。サバークにはそれを躊躇(ためら)わせる何かがあるのではないかと思うが、それが何なのか皆目見当がつかなかった。

次に、薫子はサバーク博士の焦りの原因を考えてみた。考えられることは二つだ。『砂漠の使徒』の首領のデューンが地球に来る日が近づいているか、あるいはなかなかプリキュアを抹殺できないことをデューンに叱責され、自分の地位が危うくなるのを恐れているのか。後者ならやはりサバーク自身が乗り込んでくるだろう。だが、前者だったら、デューンは必ず自分のダークパワーを封印した薫子のペンダントを狙ってくるに違いない。

薫子は自分の胸のペンダントに何も変化がないことを確認して、小さく息を吐いた。

ぬいぐるみ館は平日の午後であることもあって、閑散としていた。

薫子はダージリンを淹れながら、プリキュアたちの行く末について真剣に考える時がやって来たと感じていた。

ダージリンを淹れ終わり、コッペの胸のハートマークの中に仕舞ってある『こころの種』が満杯になった『ココロポット』を取り出して、ティーカップの前に置いた。

『ココロポット』に導かれて、プリキュアたちはプリキュアパレスに行き、大きな試練を受け、それを乗り越えられた時、プリキュアの最強のアイテム、『ハートキャッチミラージュ』を手に入れることができる。50年前、『ハートキャッチミラージュ』があったからこそ、デューンと互角に戦い、彼のダークパワーをペンダントに封印できたのだと思う。

キュアブロッサムたちがプリキュアの聖なる力を無限に強める『ハートキャッチミラージュ』を手に入れれば、幹部たちは勿論、デューンさえも浄化することが可能になる。

だがしかし、三人になったプリキュアたちがこんなに早く『ハートキャッチミラージュ』を手に入れる資格を得てしまうとは、薫子は思っていなかった。

おそらく、今のプリキュアたちの実力は三人が力を合わせても、自分やキュアムーンライトがプリキュアパレスに向かった時に比べて劣っているのではないかと思う。

——三人が試練を乗り越えられなかったら……。

薫子が苦悩に満ちた表情を浮かべた時、つぼみ、えりか、いつきが妖精たちを伴って入ってきた。

「どうしたの、みんな？」

薫子が尋ねると、もう一人入ってきた。月影ゆりだった。

「ゆりちゃん？」

ゆりは無言で会釈して、つぼみたちの背後で止まった。

「おばあちゃん、ゆりさんから聞きました。『ハートキャッチミラージュ』やプリキュアの試練のことを」

つぼみが口火を切ると、えりかといつきが続いた。

「あたしたち、『こころの大樹』やみんなの『こころの花』を最後まで守り抜きたいんです」

「それには、サバークやダークプリキュアにも負けない、もっと強い力が欲しいんです」

そして、三人声を合わせて、

「私たちをプリキュアパレスに行かせてください」

と、言って頭を下げた。

「…………」

行かせるかどうか逡巡(しゅんじゅん)する薫子を見て、ゆりが口を開いた。

「薫子さん、私からもお願いします」

「ゆりちゃん？」

薫子がゆりを見ると、つぼみたちも振り返った。

「薫子さんが躊躇われる気持ちもよく分かります。おそらく、私がプリキュアパレスに行こうとした時と同じなのだと思います」

「…………」

「私は今のこの子たちなら、必ず試練を乗り越えられると思っています」

「本当にそう思う？」

　薫子がゆりの目を見て尋ねた。

「たしかに、この子たちがダークプリキュアと戦ったら、力では劣るかもしれません。でも三人のコンビネーションさえうまくいけば、そのパワーはダークプリキュアに勝ると思います」

「ゆりさん……！」

　つぼみたちも真剣な表情でゆりを見た。

「プリキュアの本当の強さは力だけではないと思います。この子たちは、あの時の私にないものを持っています。それは固い絆で結ばれた友情ととても深い信頼関係です」

　ゆりの言葉を、つぼみたちは胸が熱くなる思いで聞いていた。あれほど、自分たちを半人前のプリキュアとしてしか見てくれなかったゆりが、やっと認めてくれたのだと思うと涙が浮かんだ。

　薫子も、あれほど大きな挫折と悲しみを味わったゆりがついにそれらを乗り越えたと感じた瞬間だった。

「……分かったわ。プリキュアパレスに行きなさい」

「おばあちゃん！」

つぼみたちが涙を拭い、薫子を見た。

「ただし、一つだけ条件があるわ」

「条件？」

つぼみが尋ねると、薫子は再びゆりの目を見て言った。

「ゆりちゃんにもついていってもらいたいの。そして、この子たちが『ハートキャッチミラージュ』を手に入れるのにふさわしいか、見届けて欲しいの」

全員の視線が集中する中、ゆりは静かに頷いた。


こうして、プリキュアに変身した三人と妖精たちとゆりは、『ココロポット』に導かれてプリキュアパレスに到着した。

その上空には、青々と葉が茂った『こころの大樹』がプリキュアたちの試練を見守るために浮かんでいた。

四人と妖精たちが石橋を渡り、石造りの回廊(かいろう)を進むと、古代の神殿を思わせるようなプリキュアパレスが現れた。

正面の大きな扉を開け、キュアブロッサムたちが美しいステンドグラスの窓から差し込む光を浴びながら廊下を進んでいくと、最初の部屋の扉がひとりでに開いた。

一行がその部屋に入っていくと、そこは天井がドーム型の吹き抜けになっている円形の部屋だった。

扉がまたひとりでに閉まると、正面の2階の通路に人影が現れた。なんと、薫子だった。

「おばあちゃん⁉」

薫子はプリキュアの試練が先代のプリキュアと戦い、勝つことであり、その時にだけ『ハートキャッチミラージュ』を手に入れることができるのだということを話した。

「私と戦い、あなたたちの心の強さを示しなさい」

薫子の言葉に、キュアブロッサムが大きく首を横に振った。

「私……おばあちゃんとは戦えません」

「私も同じよ。だから、私の代役として、彼と戦いなさい」

薫子が言うと、天井からひとひらのバラの花びらが舞い降りてきた。

キュアブロッサムたちが天井を見上げると、無数のバラの花びらがつむじ風となって降りてきた。

つむじ風が消えると、いつもプリキュアたちがピンチの時に救ってくれた青年が現れた。いつもの書生風の出で立ちではなく、真っ白なロングコート姿で眼鏡もかけていない。

キュアブロッサムたちは驚き、戸惑った。

「どうして、いつも私たちを助けてくれたイケメンさんが……⁉」

「彼はいっさい手を抜かないわ。彼に勝つ覚悟がないのなら、すぐにここから立ち去りなさい」

薫子の言葉に、プリキュアたちの表情が強張った。

「分かりました」

キュアブロッサムは青年を見て言った。

「私は秘かにあなたのことをお慕いしておりました。でも、私たちは『こころの大樹』と『こころの花』を守るために強くならねばならないのです！」

「そうだよ！　やるっきゃないよ！」

キュアマリンが言うと、キュアサンシャインも大きく頷いた。

「ゆりさんとシプレたちは下がっててください」

キュアブロッサムの指示に従い、ゆりたちは入り口付近に後退した。

キュアブロッサムはそれを確かめると、青年を睨みつけて、

「私たちはこの試練、絶対乗り越えて見せます！」

そう叫ぶと、青年に向かって突進していった。

キュアブロッサムの素早い突きと蹴りを軽くいなすと、青年はキュアブロッサムの倍のスピードの突きと回し蹴りを放った。

キュアブロッサムが吹っ飛ばされ、今度はキュアマリンとキュアサンシャインが同時に攻撃したが、青年はことごとく腕や肘でブロックした。

さらに左右から攻撃しようとした二人に向かって、素早く両手を横に開き、掌から凄まじい気を放ち、吹っ飛ばした。

――やはり、まだ早かったのか……。

上から見ていた薫子が心の中で呟いた時だった。

「ブロッサム、負けるなですぅ！」

「マリン、根性です！」

「サンシャイン、頑張るでしゅ！」

三人のパートナーである妖精たちが懸命に声援を送った。

その声に応えるように、プリキュアたちは激突した壁の前から立ち上がった。

「シプレたちの声援で元気が出てきました」

「接近戦では不利みたいね」

「ここは、離れての技で行こう！」

三人はそれぞれが得意とする『ブロッサム・インパクト』、『マリン・インパクト』、『サンシャイン・フラッシュ』という技で、掌からエネルギー波や光の飛礫（つぶて）を同時に放った。

だが、青年は素早く右手を挙げると、自分の周りの床石を瞬時に浮上させ、ブロックした。青年はさらに両手を自在に動かして、三つの床石を浮き上がらせると、三人に飛ばした。

三人は悲鳴を上げながら逃げるが、青年が操る床石が追いかけてくる。

「ブロッサム、マリン！　私の後ろに！」

キュアサンシャインが叫ぶと、二人がその背後に逃げ込んできた。その間に三つの床石は同時に頭上でUターンすると、キュアサンシャイン目がけて急速に襲いかかってきた。

キュアサンシャインは迫ってくる床石に素早く両手を突き出して、

「サンフラワー・イージス！」

ヒマワリ形の防御バリアを発生させて、床石をブロックした。

だが、その瞬間、がら空きになっているバリアの横に青年が進入してきて、両手の掌に溜めた気を一気に放った。

悲鳴を上げて、三人が吹っ飛んで壁に激突した。

勝負あったかと見えたが、キュアブロッサムが歯を食いしばって立ち上がった。

「この勝負、負けるわけにはいきません。今こそ私たちの強い覚悟を示す時です！」

その声に、二人も立ち上がり、キュアブロッサムの目を見た。

キュアブロッサムは何も言わないが、その目の輝きに、次にするべきことをキュアマリンもキュアサンシャインも瞬時に理解して頷いた。

青年は再び右手を挙げた。すると、ドーム型の天井に吊るされていたシャンデリアが振り子のように揺れ始めたかと思うと、ロウソク形のクリスタルが一斉に飛び出して、三人に向かって飛んできた。

キュアサンシャインが素早く先程と同じように『サンフラワー・イージス』でブロックすると、待ってましたとばかりに、キュアブロッサムとキュアマリンが再び横から進入してきた青年に強烈な掌底打ちを放った。

青年は吹っ飛び、壁に激突した。壁はひび割れ、土煙が上がった。

その隙に、キュアブロッサムはブロッサムタクトを、キュアマリンはマリンタクトを、キュアサンシャインはシャイニータンバリンを出した。

そして、キュアサンシャインがタンバリンを叩き、

「花よ舞い踊れ！　プリキュア・ゴールドフォルテバースト！」

巨大な虹色に輝く光の輪を出現させた。

続いて、キュアブロッサムとキュアマリンがそれぞれのタクトを構えて、

「集まれ二つの花の力よ！　プリキュア・フローラルパワーフォルテッシモ！」

と叫ぶと、二人は聖なる光に包まれ、虹色の光の輪に突っ込む。そして、三人が同時に叫んだ。

「プリキュア・シャイニングフォルテッシモ！」

光の輪を通り抜けたキュアブロッサムとキュアマリンの体はさらに輝きを増すと、光となって、ふらつきながら立ち上がった青年の胸を貫いた。

二人はその背後に着地すると、

「ハートキャッチ！」

と決めポーズを取り、キュアブロッサムとキュアマリンはタクトのクリスタルドームを回転させ、キュアサンシャインはタンバリンを胸の前で円を描くように回して、気合の声を上げた。

「はあああああああ!!」

青年はゆっくり浮かび上がった。

「成長したな」

と呟いたが、デザトリアンのように浄化されることはなく、煙とともに姿が変わり、床に落下した。

「コ、コッペ様……!?」

プリキュアたちは謎のイケメンの正体がコッペであることを知って愕然となったが、シプレたちは感激して、コッペに抱きついた。

「イ、イケメンさんがまさかコッペ様だったなんて……」

キュアブロッサムだけがガックリとうなだれた。

　薫子はみんなのところに下りてくると、

「三人ともよくやったわね」

と、プリキュアたちの労をねぎらった後に、

「ポプリ、あなたが『こころの大樹』から託された種を頂戴」

「はいでしゅ」

　ポプリは小さなポシェットに仕舞っていた丸い種を薫子に渡した。

「さあ、みんな、種に手を重ねて。ゆりちゃんもね」

　薫子に言われた通りに、四人が次々に種の上に右手を重ねた瞬間、種が激しく閃光して、円形の鍵に変形した。

「ブロッサム、この鍵を扉に嵌めなさい」

　キュアブロッサムは鍵を受け取り、部屋の奥の扉の中央の窪みに嵌めた。すると、鍵が輝き、扉がゆっくり開いた。

　そこには、歴代のプリキュアたちの銅像が飾られており、一番手前には若き日のキュアフラワーの銅像もあった。

　薫子を先頭にその間を通って、巨大なステンドグラスの前にある台までプリキュアたちがやって来た。

　ガラス張りの天井の上に、ゆっくり『こころの大樹』が動いてくると、声が響いてきた。

「プリキュアたちよ、あなたたちの覚悟、しかと見させてもらいました。さあ、受け取りなさい」

『こころの大樹』から一条の光が射してきて、一同の前に当たると、ピンク色のかわいらしい鏡台のようなものが出現した。これこそが伝説の『ハートキャッチミラージュ』であった。

『ハートキャッチミラージュ』を持ったキュアブロッサムを先頭に、みんなが笑顔でプリキュアパレスから出てきた時、『こころの大樹』がゆっくり大空へ戻っていった。

　プリキュアたちは自分たちをここまで導いてくれたゆりに向かって、

「ゆりさん、ありがとうございました」

　と、深々と頭を下げた。

「あ……私は……私は大したことしていないわ。あなたたちは仲間という固い絆で試練を乗り越えたのよ。一人で戦っていた私と違ってね……」

　戸惑いながら言い、ゆりが俯（うつむ）いた時、キュアブロッサムが薫子に尋ねた。

「おばあちゃん、この『ハートキャッチミラージュ』には私たちのパワーを強める他に、何か効果があるのですか？」

「勿論（もちろん）よ。『こころの大樹』までワープすることができるし、人間の『こころの花』を見ることもできるの」

「他にはないの？　キュアムーンライトを復活させる効果とか」

キュアマリンがさりげなく言った言葉に、ゆりは険しい表情になって言った。

「それは絶対無理よ」

「でも、ゆりさんがプリキュアに戻れたら、私たち百人力、いや千人力なんだけど」

キュアマリンは言い、薫子に真相を尋ねようとしたが、

「無理だと言っているでしょう！『ハートキャッチミラージュ』で私の『こころの花』を見てご覧なさい！」

ゆりが語気を荒らげて、キュアブロッサムを見た。

キュアブロッサムが『ハートキャッチミラージュ』をゆりに向けると、鏡に萎（しお）れた白百合が映し出された。

「！——」

みんなの顔に衝撃が走った。

薫子はゆりの肩を優しく抱くと、

「ゆりちゃん、ごめんなさいね。でも、いつかあなたの『こころの花』が蘇る日が来ると

いいわね」

「………」

ゆりはみんなが心配そうに見ているのに気づき、小さく頷いた。


植物園にみんなと戻ったゆりは一人で帰宅の途に就いた。

夕陽に照らされた歩道橋を渡っていると、深い悲しみが去来して、ゆりは立ち止まった。自分がキュアムーンライトとして『砂漠の使徒』と戦っている時、『こころの大樹』の前でコロンはシプレとコフレを紹介して、仲間となる新しいプリキュアを誕生させることを勧めてくれた。だが、自分一人でも戦い抜けると思い、断ったのだ。今思えば、独りよがりの浅はかな判断だったと思う。その判断ミスにより、パートナーのコロンを死に至らしめてしまったのだから。

ゆりは胸元から『プリキュアの種』の欠片のペンダントを出して握りしめた。その目から止めどもなく涙が零れ落ちた。


翌日、『こころの大樹』の居場所を探っていたダークプリキュアが『砂漠の使徒』のアジトに戻ってきた。

足早にサバーク博士の前にやって来たダークプリキュアが片膝をついて頭を下げた。

「ダークプリキュア……！　『こころの大樹』が見つかったのか？」

ダークプリキュアは黙ったまま首を横に振った。

「『こころの大樹』を見つけるまでは戻ってくるなと言ったはずだが」

「気になる事が起こったものですから、すぐにご報告しようと思いまして」

「気になる事？」

ダークプリキュアは立ち上がり、サバークの前に行くと、握りしめていた右手の拳を開いた。掌の上で、キュアムーンライトの『プリキュアの種』の欠片が脈打つように点滅していた。

サバークは目を瞠り（みはり）、

「こ、これは……」

「キュアムーンライト……いや、月影ゆりの身に異変が起きているのかもしれません」

「うーむ……」

サバークが考え倦（あぐ）んでいると、ダークプリキュアが頭を下げて言った。

「どうか、私に調べさせてください」

「分かった。許可しよう」

ダークプリキュアは頷き立ち上がると、片翼を広げ部屋から飛び去った。

サバークは椅子から立ち上がると、前方の薄暗い岩場を睨み、叫んだ。

「サソリーナ、クモジャキー、コブラージャ！」

すぐに、岩場に三幹部の姿がスッと現れた。

「ダークプリキュアは一人だと暴走する恐れがある。おまえたちもついていけ」

三幹部は一礼すると、瞬時に姿を消した。


同じ頃、植物園のぬいぐるみ館に、三人の妖精に連れられたつぼみ、えりか、いつき、そしてゆりが入ってきた。四人は薫子から至急集まってくれという連絡を受けて駆けつけたのだ。

プリキュアの試練で全力を尽くしやせ細ってしまったコッペの前のテーブルで、薫子が『ハートキャッチミラージュ』を見ていた。

「おばあちゃん、何かあったんですか？」

つぼみが尋ねると、薫子は『ハートキャッチミラージュ』を見たまま言った。

「ゆりちゃん、こっちに来て！」

「はい……」

ゆりが薫子の横に行くと、

「『ハートキャッチミラージュ』は『こころの大樹』がどこにいようと、その様子を見ることができる力があるの。さあ、見てご覧なさい」

つぼみたちも来て、ゆりと一緒に『ハートキャッチミラージュ』の鏡に映っている『こころの大樹』を見た。

すると、大樹の周りを薄紫色の光の球が浮遊していた。

「この光は……？」

ゆりが尋ねると、薫子はそれには答えず、『ハートキャッチミラージュ』に話しかけた。

「『ハートキャッチミラージュ』よ、あの光を大きく映してみて」

鏡に映る『こころの大樹』とともに薄紫色の光の球がズームアップされた。

それはなんと、死んだはずのコロンが半透明体となって飛んでいるのだった。

「コ、コロン！」

ゆりが驚愕して叫んだ。

「ええっ⁉」

つぼみたちも身を乗り出して覗き込んだ。

「おそらく満杯になった『ココロポット』のおかげかもしれないわね」

薫子が言うと、妖精たちも興奮して言った。

「つぼみたちが『こころの種』を集めたおかげですぅ！」

「奇跡でしゅ！」

愕然として立ち尽くし、鏡から目を背けているゆりに、薫子が言った。

「ゆりちゃん、『こころの大樹』まで行きなさい。これはただ一度だけの奇跡。コロンにゆりちゃんの想いを伝えるのよ」

「！――」

ゆりは決意に満ちた表情になり、静かに頷いた。そんなゆりを見て、つぼみたちは微笑んだ。

薫子は立ち上がり、ゆりに席を譲って、

「青いボタンを押しなさい。『ハートキャッチミラージュ』が『こころの大樹』……コロンのもとへ連れていってくれるわ」

ゆりは頷き、『ハートキャッチミラージュ』の青いボタンに触れようとした時だった。

「ダークプリキュアですぅ！」

「急速に近づいてきてるです！」

シプレとコフレが叫んだ。

ゆりが素早く胸元からペンダントを取り出すと、『プリキュアの種』の欠片が鈍い光を発しながら点滅していた。

「ゆりさん！　ゆりさんはコロンに会いに行ってください！」

「あとは僕たちに任せて！」

ゆりはつぼみたちを見て、大きく頷いた。その様子を見て、薫子は微笑み、頬がこけたコッペも目をパチクリした。

ゆりが青いボタンを押すと、その姿が閃光して、鏡の中へ吸い込まれていった。


ダークプリキュアが点滅する『プリキュアの種』の欠片を頼りに飛んで来て、植物園に隣接する公園に差しかかった時、突然、欠片の点滅が消えた。

「何っ⁉」

「！　――」

ハッとして眼下を見ると、植物園の方からつぼみたちと妖精たちが駆けてくるのが見えた。

ダークプリキュアは宙で止まった。

つぼみたちはただちにプリキュアに変身して、前方の宙に浮かぶダークプリキュアを睨みつけた。

ダークプリキュアはその前に舞い降りてきて、

「月影ゆりはどこへ行った？」

「残念だったわね。もうここにはいないわ」

キュアマリンがにんまり笑いながら言った。

「くっ。ならば、力ずくで教えてもらうまで！」

ダークプリキュアは怒りをあらわにすると、猛然とプリキュアたちに向かって突進していった。


『こころの大樹』の前にハート形の虹の扉が現れてゆっくり開くと、ゆりが出てきた。ゆりはコロンを捜しながら根元の周辺を歩き始めた。

「コロン！　コロン、いるんでしょう？」

その時、大樹の裏の方からコロンの声がした。

「ムーンライト」

ゆりは声がした方へ駆けていくと、半透明体のコロンが飛んできた。

「コロン！」

ゆりが万感の思いを込めて叫ぶと、コロンは以前と変わらぬ生意気そうな表情で、

「やあ」

と、軽く右手を挙げた。

「コロン……」

ゆりは歩み寄りコロンを抱こうとしたが、その手がすり抜けてしまった。

「！――」

ゆりは驚き、今にも泣きそうな表情でコロンを見た。

「ボクの体は、もう滅びてしまったんだ」

「！……」

ゆりの目から堪えていた涙が頬を伝う。

「そんな悲しい顔しないで。ブロッサムたちが『こころの種』をたくさん集めてくれたおかげで、こうしていられるんだ」

「ごめんなさい、私のために……」

コロンは『こころの大樹』を見上げて言った。

「ボクは君のことを見守っていたよ。あの日からもずっとね。君は一人で頑張りすぎたんだよ」

ゆりの脳裏に、コロンの進言も聞かず、一人でダークプリキュアとサバーク博士に立ち向かい、結果的にコロンを死に至らしめた苦く辛い過去が蘇った。

「私、愚かだったのよ……何でも一人でできるって……自分の力を過信していたんだわ」

コロンは俯きながら首を振ると、ゆっくり顔を上げ、ゆりの目を見て言った。

「ムーンライト……それは違う。君は、命を懸けて人間の『こころの花』を守るプリキュアの任務の重さを誰よりも知っていた。だから、すべてを自分が引き受け、一人で戦おうとしたんだ」

「！　……」

俯いて聞いていたゆりが顔を上げた。

「誰も傷ついて欲しくない。傷つくのは自分ひとりでいい……ってね。君は優しいんだ。ボクは分かっていたよ」

再び、ゆりの目に涙が溢（あふ）れた。

「コロン……」

「自分を認めるんだよ、ムーンライト。自分の優しさを。仲間への思いやりを。今の君はブロッサムたちと触れ合って、仲間の大切さ、ありがたさが分かったはずだろう？」

ゆりは小さく頷いた。

「それなら、もう一度『砂漠の使徒』と戦うことができるよ」

「無理よ」

ゆりはペンダントを外し、『プリキュアの種』の欠片を見せた。

「それは、今の君の心の形だよ。ボクを失い、ダークプリキュアに敗れて、傷ついた君の心の形だ」

コロンの指摘に、ゆりの双眸(そうぼう)が大きく見開かれた。

「君がみんなとともに戦いたい、世界を守りたいと願えば君はキュアムーンライトになれるよ」

「！――」

「だから、またキュアムーンライトになりたいと、『こころの大樹』に願いを伝えるんだ」

ゆりが『こころの大樹』を見上げた時、背後にハート形の虹の扉が輝き現れた。

ゆりとコロンは驚き振り返ると、扉に、圧倒的な強さでキュアブロッサムたちを吹っ飛ばしていくダークプリキュアの姿が映し出された。


余裕の笑みを浮かべるダークプリキュアの前に、三人のプリキュアが倒れていた。近くでは妖精たちが抱き合って震え上がっている。

「ふふふ……月影ゆりの居場所を教えろ。さもなくば……ダークタクト！」

ダークプリキュアは右手にダークタクトを出現させた。

プリキュアたちが懸命に歯を食いしばって、立ち上がった。

「たとえ、知っていても教えるわけにはいきません！」

「ゆりさんは……」

「私たちが守る！」

三人はコッペを倒した時に使ったプリキュア最強技の『プリキュア・シャイニングフォルテッシモ』を放つ。

ダークプリキュアも『ダークパワーフォルテッシモ』で対抗して、聖邪（せいじゃ）の光が激突して激しく闘（せめ）ぎ合う。

「うおおおおお――っ！」

「私は三幹部どもとは違う！　うおおおおお――っ！」

ダークプリキュアの邪悪なパワーが勝り爆発が起こると、

「うわあああああ――っ！」

キュアブロッサムとキュアマリンが吹っ飛ばされたが、辛うじてキュアサンシャインが受け止めた。

「さ、三人の合体技が通用しない……」

その腕の中で、キュアブロッサムとキュアマリンは気を失ったままだ。

『こころの大樹』の前のハート形の虹の扉に、その様子が映し出されている。

「このままじゃ……」

ゆりは『こころの大樹』に向かって叫んだ。

「『こころの大樹』！　私をプリキュアに……もう一度、私を！」

その瞬間『こころの大樹』が輝きだし、声が聞こえてきた。

「月影ゆり……」

「！　……はい」

「あなたの『プリキュアの種』を翳しなさい。プリキュアになりたい、その想いを込めて」

ゆりは『プリキュアの種』の欠片に自分の想いを込めながら翳した。

すると、『プリキュアの種』の欠片が閃光し、ゆり自身も輝いた。

同時に、公園の木々が『こころの大樹』と同じように輝きだした。

「何、この輝きは……！」

キュアサンシャインはキュアブロッサムたちを抱えながら辺りを見渡した。

「『こころの大樹』の光か……」

ダークプリキュアが呟いた時、輝いていた木々から聖なる光が1ヵ所に集まると、その中からゆりが出現した。

「ゆりさん……！」

キュアサンシャインが驚いて見つめると、ゆりは自信に満ちた表情で微笑んだ。

「貴様……もしや！」

ダークプリキュアが動揺した時、ゆりが冷静な口調で言った。

「勇気、愛、友情、優しさ、悲しみ、喜び……たくさんの気持ち。みんなの心。私は戦う！　みんなの心のために！」

『プリキュアの種』の欠片を天に翳した。

その瞬間、『プリキュアの種』の欠片に光が補塡され、丸い完全な種になった。

「プリキュア！　オープンマイハート！」

『プリキュアの種』を『ココロポット』の蓋にセットして、再び翳すと、無数の花びらが出現して、みるみる聖なる光に包まれたゆりが、キュアムーンライトに変身していった。

「な、何っ⁉」

ダークプリキュアは愕然とした。

「月光に冴える一輪の花　キュアムーンライト！」

凛々（りり）しく決めポーズを取った。キュアムーンライトが復活した瞬間である。

「キュアムーンライトが……」

「復活したです！」

妖精たちの声に、気絶していたキュアブロッサムとキュアマリンが目を覚ました。その前で、対峙するキュアムーンライトとダークプリキュアを見て、瞠目した。

「キュ……キュアムーンライト！」

「ゆりさんはついにキュアムーンライトに変身できたんだ」

ダークプリキュアはキュアムーンライトを睨みつけながら激しく動揺した。

「よ、妖精もいないくせに、なぜプリキュアになれたのだ⁉」

「あの時、コロンの肉体は滅んだけど、その魂は『こころの大樹』に守られていたのよ。そして、キュアブロッサムたちが集めてくれた『こころの種』のおかげで私はキュアムーンライトとして復活できたのよ」

キュアムーンライトは、『ココロポット』の蓋に装着した完全体となった『プリキュアの種』を突き出した。

ダークプリキュアは驚き、自分が持っていた『プリキュアの種』の欠片を見ると、忌々しげに握りしめた。

「あの時……おまえを仕留めておくべきだった……くそっ！」

猛然と突進していき、キュアムーンライトに襲いかかった。凄まじいスピードのパンチとキックを浴びせていくが、キュアムーンライトは紙一重で躱していく。

「は、速い！　おのれ！」

右手を突き出すと、瞬時にダークなエネルギーを集め、射出した。

キュアムーンライトが素早く両腕をクロスして防御した瞬間、大爆発が起こった。

確かな手応えを感じたダークプリキュアが、爆煙を見てニヤリと笑った。

ところが、爆煙が流れると、地面が抉れており、その向こうへ一筋の窪みが続いていた。ダークプリキュアがその窪みを目で追うと、その先には両足で地面を踏ん張ったキュアムーンライトが両手をクロスしたまま立っていた。

「何っ⁉」

ダークプリキュアは驚き、キュアブロッサムたちは歓喜した。

「キュアムーンライト！」

キュアムーンライトは防御の構えをバッと解くと、

「すべての心が満ちるまで、私は戦い続ける！　コロンを失ったあの時とは違う！　はああ！」

気合の声とともに凄まじいスピードでダークプリキュアに接近すると、薫子に鍛えられた鋭い突きと蹴りを浴びせた。

防御を余儀なくされたダークプリキュアは、後方へジャンプして着地すると、再び両手にダークなエネルギーを瞬時に溜めて、一気に射出した。

「ムーンライト・リフレクション！」

キュアムーンライトが飛んで来るエネルギー弾に向かってバッと両手を突き出した。

両手の掌が閃光すると、二つの銀色の円形のシールドが出現し、飛んで来るエネルギー弾に向かって飛び出していった。

キュアムーンライトは突き出したままの両手の掌で素早く円を描くと、二つのシールドも同じように円を描き、飛んできたエネルギー弾をブロックした。次々とシールドに当たって爆発したが、シールドはビクともしない。

ダークプリキュアがシールドに気を取られている隙を突いて、キュアムーンライトが急接近すると、強烈な後ろ回し蹴りを放った。それはダークプリキュアの腹にヒットした。

「ぐはっ！」

ダークプリキュアは、公園の噴水の方へ吹っ飛んでいった。

その時、噴水の前に、クモジャキーを真ん中に左右にコブラージャ、サソリーナがシュッと現れた。

飛んで来たダークプリキュアをクモジャキーが受け止めた。

「お、おまえたち、なぜここに!?」

「サバーク様の命令で様子を見に来たのよぉん」

「キュアムーンライトが復活するとは面白くなってきたぜよ」

クモジャキーがニヤリと笑うと、ダークプリキュアが睨みつけた。

「ムーンライトは私が仕留める。おまえたちは手出しするな！」

「そうはいきませんよ。ムーンライトには、僕らもだいぶ痛い目に遭っていますからね」

コブラージャはそう言うと、素早くカードを出し、キュアムーンライトに向かって次々と投げた。キュアムーンライトは手刀とキックで、ことごとくカードを弾き飛ばす。

「今のは挨拶だよ。『ダークブレスレット』！」

右手を天に翳すと、その手首に邪悪な光とともに『ダークブレスレット』が出現した。

コブラージャが右手の人差し指と中指を立てると、その間にＪＯＫＥＲのカードが出現し、サッと跳躍しながら投げた。キュアムーンライトに向かって飛ぶカードが閃光して、5枚になった。

「！　――」

キュアムーンライトはとっさに逃げるが、逃げ切れずカードの1枚が命中して爆発した。さらに躱したカードも背後で次々に爆発した。

キュアムーンライトは悲鳴を上げ吹っ飛ぶが、反転して着地した。だが、脇腹を押さえ、ガクッと片膝をついた。

「ムーンライト!!」

三人のプリキュアは猛然と駆けていき、キュアムーンライトを庇うようにその前に立った。

「コブラージャ、邪魔をするな！　私が倒す！」

　ダークプリキュアが猛然と突っ込んでいき、コブラージャを追い越し、プリキュアたちを素早いパンチと蹴りで吹っ飛ばすと、再びキュアムーンライトに襲いかかった。

　その勢いに、キュアムーンライトは防戦一方になった。

「キュアムーンライトを助けなきゃ！」

　キュアマリンの声に二人も次々に起き上がり、再びキュアムーンライトの加勢に行こうとした時、その前に三幹部が瞬間移動してきて、立ち塞がった。

「おまえたちの相手は私たちよぉん。『ダークブレスレット』！」

　サソリーナはクモジャキーとともに、『ダークブレスレット』を出現させた。

「『ダークブレスレット』はデザトリアンを強化するだけじゃないぜよ！　俺たち自身のパワーアップもするがじゃき！」

　パワーアップした三幹部が、プリキュアたちに襲いかかった。一対一の対戦ではキュアブロッサムもキュアマリンもキュアサンシャインも苦戦した。

　その間にも、キュアムーンライトとダークプリキュアは激しい戦いを繰り広げていた。

　キュアムーンライトは一般人を戦いに巻き込まないように、巧みにダークプリキュアをビルの屋上に誘導していった。

「集まれ花のパワー！　ムーンタクト！」

「闇の力よ集え！　ダークタクト！」

　二人はタクトを出現させると、

「花よ輝け！　プリキュア・シルバーフォルテウェイブ！」

「ダークフォルテウェイブ！」

　二つのタクトから聖なる光と邪悪な光が射出され、ぶつかり合った。聖邪の光がせめぎ合う。

「ダークプリキュア、どうしてそこまで私を憎むの⁉」

　プリキュアに変身できなかった頃に戦った際、ダークプリキュアが語った、「おまえは私だからだ」という謎の言葉がキュアムーンライトの頭をよぎった。

「ダークプリキュア、あなたが以前言った『おまえは私』とは、どういう意味なの？」

「おまえが月の光とすれば、私は影……影が光を飲み込んだ時、月は一つになるのだ！　うおおおおっ‼」

　聖邪の光のせめぎ合いはダークプリキュアの気迫が勝り、邪悪な光が押し切ってキュアムーンライトに命中し、大音響とともに爆発した。

　煙の中からキュアムーンライトが飛び出してきて、後方のビルの屋上に転がり落ちた。

「今こそ、月が一つになる時だ！」

　そう叫ぶと、ダークプリキュアは片翼を広げ舞い上がった。

その時、倒れていたキュアムーンライトの脳裏にコロンの声が届いた。

「キュアムーンライト！」

その声に励まされて、キュアムーンライトの右手が動き、目の前に落ちているタクトを摑んだ。

「そうね……私は一人ではない。一人で戦ってはいない。コロンが見ている限り、私は負けるわけにはいかない！」

キュアムーンライトは歯を食いしばって立ち上がり、タクトを振り上げた。

「プリキュア・フローラルパワーフォルテッシモ！」

その体が聖なる光に包まれたかと思うと、飛んできたダークプリキュアに向かって突っ込んでいった。

ダークプリキュアも素早くタクトを構えると、

「ダークパワーフォルテッシモ！」

邪悪な光が体を包み、聖なる光となって突っ込んでくるキュアムーンライトに向かっていく。

聖邪の光がぶつかり合った瞬間、大爆発が起きた。

爆煙の中から、交差した二人が左右に分かれ、二つのビルの屋上に着地した。

その瞬間、キュアムーンライトの表情が歪(ゆが)んだ。

「うっ」

よろけて片膝をついた。

隣のビルに着地したダークプリキュアがニヤリと笑い、ゆっくりとキュアムーンライトを振り返った時だった。

全身が聖なる光に包まれており、体のあちこちに電流のようなものが走った。

「な、何っ⁉　ぐはっ」

もんどり打って倒れた。

キュアムーンライトが起き上がり、隣のビルへ行こうとした時、突然上空から邪悪な光が飛んできて、倒れているダークプリキュアの横に舞い降りた。

邪悪な光が消えると、サバーク博士が現れた。

「サ、サバーク！」

キュアムーンライトが叫んだが、サバークは無言でダークプリキュアを抱き上げると、サッと背を向けた。

「あなたは、ダークプリキュアの……」

言い終わらぬうちに、サバークの姿がシュッと消えた。

「………」

キュアムーンライトが茫然（ぼうぜん）と立ち尽くした時、公園の方からキュアブロッサムの悲鳴が響いてきた。

キュアムーンライトが声の方を見ると、サソリーナの髪に搦(から)めとられたキュアブロッサムが何度も地面に叩きつけられていた。

「ブロッサム！」

キュアムーンライトは猛然と屋上から公園へ飛び下りていった。

サソリーナは自分の髪で絞め上げ、グッタリとしているキュアブロッサムを余裕の表情で見ていた。

「うふふふ、ついに毒針で仕留める時が来たわぁん」

髪の先端の毒針で刺そうとした時だった。

キュアムーンライトがムーンタクトを振り上げながら舞い降りて、

「たあっ！」

気合もろとも大きく振り下ろすと、カマイタチが発生して、サソリーナの髪を真っ二つに斬った。

「な、何っ⁉」

キュアブロッサムは地面に落ち、絡(から)まっていた髪も解けた。

「よくも女の命の髪を！」

サソリーナは反撃に出ようとしたが、着地したキュアムーンライトが素早く反転し、強烈な回し蹴りを放った。

サソリーナは悲鳴を上げて吹っ飛び、噴水の銅像に激突して、水の中に落ちた。

続いて、キュアムーンライトはふらつきながら立ち上がろうとしているキュアマリンにトドメを刺そうと大剣を構えているクモジャキーを睨むと、

「マリン！」

タクトを構えながらクモジャキーに突進した。

気づいたクモジャキーが大剣をキュアムーンライトに向かって振り下ろした。凄まじいカマイタチが発生して襲いかかる。

「はっ！」

キュアムーンライトも負けじとタクトを振り下ろして、カマイタチを発生させた。

二つのカマイタチがぶつかり合い相殺した。

「なっ！」

自分の必殺技に絶対的自信を持っていたクモジャキーが動揺した隙を突き、キュアムーンライトはタクトを横一文字に一閃させた。

凄まじいカマイタチがクモジャキーの腹に命中した。

「ぐわっ！」

吹っ飛び、サソリーナと同様に噴水の水の中へ落ちた。

キュアムーンライトは、コブラージャに苦戦しているキュアアサンシャインを見た。

ポプリに助けられて立ち上がるキュアサンシャインに向かって、コブラージャがJOKERのカードを構えていた。

キュアムーンライトは凄まじいスピードで接近して、

「たあっ！」

強烈な蹴りで、カードを吹っ飛ばした。

「お、おのれっ！」

激怒したコブラージャが殴りかかってきたが、キュアムーンライトは左肘でブロックすると、右手にエネルギーを瞬時に溜めて、

「ムーンライト・シルバーインパクト！」

一気にエネルギー弾を射出した。

「ぐはっ！」

コブラージャはようやく噴水の水の中から立ち上がったサソリーナとクモジャキーの前に吹っ飛んでいった。クモジャキーがとっさにコブラージャを抱き留めた。

「あとは私たちが！」

体力を回復したキュアブロッサムたち三人がキュアムーンライトの傍らに駆け寄ってきた。

キュアムーンライトが頷くと、三人は素早くタクトとタンバリンを構えた。

「プリキュア・ゴールドフォルテバースト！」

キュアサンシャインが虹色に輝く光の輪を出現させるのを見た三幹部は、

「いかん、浄化されるぜよ！」

「覚えてらっしゃい！」

シュッと姿を消した。

キュアブロッサムたちはやむなくタクトとタンバリンを下ろすと、キュアムーンライトの前に集まってきて、

「キュアムーンライト、ありがとうございます！」

と頭を下げた。キュアムーンライトは微笑みながら、

「ううん、お礼を言うのは私の方よ。あなたたちのおかげでコロンと再会できたし、キュアムーンライトとして復活することもできたわ」

そこへ、妖精たちも飛んできて、コフレが嬉しそうに言った。

「ついにプリキュアが四人揃ったです！」

四人のプリキュアが顔を見合わせて微笑んだ。

「ダークプリキュアはどうしたんですか？」

キュアブロッサムが尋ねると、キュアムーンライトは悔しそうに首を横に振り、

「あと一歩のところで、サバーク博士が現れて、一緒に消えてしまったわ」

「でも、ムーンライトがいれば百人力だよ！　ダークプリキュアだろうがサバークだろうが……こういう時、何て言うんだっけ？」

キュアマリンが尋ねると、キュアブロッサムが答えた。

「朝飯前、ですよ」

「そうそう、それそれ！」

キュアムーンライトが首を横に振って言った。

「『砂漠の使徒』を侮ってはいけないわ」

みんなの顔が真剣な表情に変わった。

「そうですね。『砂漠の使徒』は必ずまた襲ってきます。四人で力を合わせて、『こころの大樹』を守りましょう！」

キュアブロッサムが言うと、全員が大きく頷いた。

その後、キュアムーンライトはみんなと別れて、『こころの大樹』にいる妖精コロンを訪ねた。

笑顔で迎えたコロンが言った。

「よかったね……キュアムーンライト」

「たしかに聞こえたわ。コロンの声が」

「大丈夫みたいだね。君の『こころの花』は……」

　コロンの目には、茎が折れ枯れかけていた白い百合の花が輝きだし、復活していく姿が見えた。

「ありがとう、コロン」

　抱きしめようとした瞬間、コロンは光の粒子になった。

「コロン！」

　驚き、目に涙を溜めるキュアムーンライトの前で、光の粒子はゆっくりと『こころの大樹』に飛んでいき、

「君は本当に泣き虫だなあ」

　という声を残して、『こころの大樹』に吸い込まれていった。

「………」

　キュアムーンライトは懸命に涙を堪えて頷いた。だが、堪えきれずに涙が一筋頬を伝った。

　植物園のぬいぐるみ館では、『ハートキャッチミラージュ』にその様子が映し出されており、見ていたつぼみ、えりか、いつき、薫子、そして妖精たちの目からも涙が零れ落ちた。

第五章　父よ

ついに『砂漠の使徒』の首領、デューンが動きだした。

ダークプリキュアがキュアムーンライトに敗れたことは、ボスナッキーによって惑星城にいるデューンに報告されていた。デューンは通信を使ってサバーク博士や三幹部を叱りつけると、

「プリキュアさえ倒せない君たちに任せていたら、地球はいつになっても征服できそうにないね。仕方がない。僕が今ほぼ征服している星から、プレゼントを贈るから受け取りたまえ」

数日後、デューンはデザトリアンとは全くタイプが違う怪物、デザートデビルを希望ヶ花に送り込んできた。デザートデビルは、『砂漠の種』から生まれる怪物で、その目から放たれる光線によって、あらゆる植物を一瞬のうちに枯れさせ、緑の大地を砂漠に変えてしまう能力があった。

デザートデビルの攻撃に、希望ヶ花市の市民たちは恐怖におののき、植物園に隣接する公園も砂漠と化してしまった。

妖精たちから連絡を受けたつぼみたちはすぐにプリキュアに変身して、デザートデビルに挑んだ。だが、プリキュアの通常技は全く通用しない。必殺技である『プリキュア・シャイニングフォルテッシモ』を放っても浄化させることはできなかった。そこで、キュアブロッサムたちが自分一人で使える必殺技『フォルテウェイブ』と『フォルテバース

ト』を一斉に浴びせると、デザートデビルが消えて、奇妙な形をしたアンテナが出現した。

アンテナから流れてきたのは、デューンの声だった。デューンは自分が『砂漠の使徒』の首領であることを話し、今回送り込んだデザートデビルはただの挨拶代わりだと言った。

さらにデューンは、デザートデビルを生む大量の『砂漠の種』を送り込もうとしていること、もうすぐ自分も地球に行き、陣頭指揮を執ることを宣言した。

デザートデビル1体を倒すのにも苦戦したことを考えると、そんな怪物が世界中に送り込まれたら、プリキュア四人だけではとうてい太刀打ちできないと判断したつぼみたちは、薫子に相談した。

薫子が言うには、『ハートキャッチミラージュ』から無限の力を引き出すためには、もう一度プリキュアパレスに行って最後の試練を受ける必要があるらしい。

しかし、『ハートキャッチミラージュ』を手に入れるために、プリキュアパレスで試練を受けてからまだそれほど日にちが経っていないうえに、頼みのコッペもまだ体力を回復していないことで、薫子は躊躇っていた。

それでも、大量のデザートデビルを倒すには、自分たちのパワーアップが必要だと考えるつぼみたちは、たとえどんな試練でも乗り越えてみせると力説した。

薫子はその熱意を真摯に受け止めて、ゆりやつぼみたちや妖精たちとともに再びプリキュアパレスに行くことにした。

プリキュアパレスに到着し、ゆりたちがプリキュアに変身した途端、四人は聖なる光に包まれた。

次の瞬間、四人は鏡の間と呼ばれる異空間に、バラバラに飛ばされてしまう。そこで、四人は自分とそっくりな人物と出会うことになる。

それらの人物は以前のコンプレックスや辛い思いを持った自分たちだった。

キュアムーンライトはダークプリキュアに敗れ、コロンを失ったまま立ち直れずにいた頃の自分に、キュアブロッサムは引っ込み思案だった頃の自分に、キュアマリンは姉のもかに憧れと嫉妬を抱いていた頃の自分に、キュアサンシャインは兄のさつきや家のために無理矢理自分の本当の気持ちを心の奥に仕舞い込んでいた頃の自分に、それぞれ遭遇して戦うことになる。

それはすべてプリキュアパレスの鏡の間が作り上げた世界であって、プリキュアたちの前に立ち塞がった四人は、プリキュアたちの影のような存在であった。

キュアブロッサム以外の三人は、初めこそ自分と全く同じ姿をした影に戸惑ったが、戦いの中で最後の試練が持つ意味をそれぞれ理解して、プリキュアとして成長した今は、過去の自分を認めて、より大きな心で受け入れることができた。すると、影たちは微笑み、それぞれの体内に溶け込んでいった。

次の瞬間、三人はプリキュアパレスの元の場所に戻ってくることができた。パレスの庭の、歴代のプリキュアの銅像の中に、自分たちの銅像が建てられていることに気づいた。

それは、最後の試練を乗り越えたプリキュアにだけ与えられる名誉だった。同時に三人はパワーアップして、『ハートキャッチミラージュ』から無限の力を得られる資格も手に入れたことになる。

だが、三人に笑顔はなかった。キュアブロッサムがまだ戻ってきていなかったからだ。

その頃、キュアブロッサムは自分の影と戦っていた。

キュアブロッサムは、過去の自分である影をキュアムーンライトたちのように受け入れることを拒否して、成長した自分の力だけを信じて戦っていた。

「人間はそんなに簡単には変われるものではないわ。あなたは引っ込み思案で一人でいる方が合っているの。もう戦いなんてやめなさい」

そう言い続ける自分の影に、キュアブロッサムはだんだん言い返せなくなり、戦いは徐々に劣勢になっていく。そして、戦いを放棄しようとした時、その脳裏に、キュアマリンのえりか、キュアサンシャインのいつき、キュアムーンライトのゆり、そして、妖精たちの顔やみんなとの思い出が蘇（よみがえ）った。

——みんな……！

キュアブロッサムは心の中で叫ぶと、目の前の自分の影を直視して言った。

「たしかに、私は引っ込み思案で一人でいる方が良いと思っていました。それは認めます。でも、私にはえりかやいつきやゆりさんや妖精たちがいます。それにおばあちゃんとコッペ様だって。みんな、信頼できる人たちです。私はそういう人たちに支えられているんです。そういう人たちと、地球を、『こころの大樹』を、人々の『こころの花』を守っていく決心をしたのです！」

「綺麗ごとを言ったところで、あなたは変われないわ」

そう言いながら、影はキュアブロッサムに強烈なパンチを浴びせる。

だが、キュアブロッサムは歯を食いしばって立ち上がった。

「あなたには綺麗ごとかもしれませんが、私は私を支えてくれたみんなが大好きです。みんなのおかげで頑張ってこられたのです」

「頑張ったところで変われないのでは意味がないわ！」

影が再びパンチを放ってきたが、キュアブロッサムは両腕をクロスしてブロックした。

「私は……本当に少しずつだけど変われたと思います……だからこそ、昔の自分を引きずったままの、もう一人の私がいるんです」

「影の私が昔の私？」

影が驚きの表情を浮かべた。

「はい。あなたは私が何かしようと思った時、『無理です。やっても無駄です』と囁く、もう一人の臆病な私なんです」

「！　……」

「でも今、ようやく気づきました。自分を臆病にするのが自分なら、自分を勇気づけられるのも自分だけです」

キュアブロッサムの言葉に、影から敵意の表情が消えていく。

「昔の私はいつも誰かに頼る癖がありました。でも、自分の道は自分で切り拓くしかないのです！」

影の表情は柔和になり、

「影の私はもう必要ないようね」

「いいえ。私が私らしくいるためには、ちょっと臆病な私も必要なんです。だから、私は……シャイで引っ込み思案な私も大好きです」

そう言うと、キュアブロッサムは自分の影を抱き締めた。影は微笑むと、キュアブロッサムと融合して、体の中に溶け込んでいった。

その瞬間、ついにキュアブロッサムは最後の試練を乗り越えて、鏡の間からの脱出に成功した。

キュアブロッサムが閃光とともにプリキュアパレスの庭に戻ると、みんなの銅像の手前に自分の銅像が建てられていることに気づいた。

――私、試練を乗り越えられたんですね。

自分を誇らしげに感じた時、『ハートキャッチミラージュ』を携えたシプレが飛んできた。

「何感動してるですかぁ！　早くみんなの所へ加勢しに行くですぅ！」

「え？　みんなはどうしたんですか？」

「もうとっくに戻ってきて、デザートデビルと戦っているですぅ！」

「ええっ⁉」

驚くキュアブロッサムに『ハートキャッチミラージュ』を持たせると、シプレは城の正面玄関の方へ誘導していった。

キュアブロッサムとシプレが城から出てくると、城の前の湖でデューンが送り込んだ『砂漠の種』から誕生したデザートデビルとキュアムーンライトたちが戦っていた。

先日倒したように、三人がそれぞれの『フォルテウェイブ』と『フォルテバースト』を同時に放って手や腕を吹っ飛ばしても、デザートデビルはすぐ蘇生して攻めてきた。

苦戦する三人のプリキュアを近くで見守っていた薫子に向かって、キュアブロッサムが駆け寄っていった。

「おばあちゃん！　みんな！」

　一斉にみんながキュアブロッサムを注目した。

「ブロッサム！　乗り越えられたんだね！」

「ブロッサム、信じていたわ！」

「さあ、一緒に戦おう！」

　三人の言葉に頷き、

「シプレ、マントになって！」

「はいですぅ！」

　シプレが閃光とともに、マントになってキュアブロッサムの首に巻きついた。

　その時、薫子が叫んだ。

「今こそパワーアップしたあなたたちの力を示す時よ！　まずは『ハートキャッチミラージュ』を使って、スーパープリキュアにおなりなさい！」

　その瞬間、『ハートキャッチミラージュ』の四人の色を表す、ピンク、ブルー、ゴールド、シルバーの四つのボタンが点滅を始めると、鏡が虹色に輝きだした。

　薫子は笑顔になり、さらに叫んだ。

「心を一つにして、『世界に輝く一面の花！　ハートキャッチプリキュア！　スーパーシルエット！』って叫びなさい！」

四人は顔を見合わせ、頷き合うと叫んだ。

「世界に輝く一面の花！　ハートキャッチプリキュア！　スーパーシルエット！」

虹色のハートの光が4筋飛び出していって、四人のプリキュアを包み込んだ。その瞬間、ティアラ、イヤリング、ハートマークの翼が現れて、四人はパワーアップした姿に変身した。スーパープリキュアの誕生である。

祝福するかのように、無数の花びらが舞い降りてきた。

「これで、『プリキュア！　ハートキャッチオーケストラ』を発動させられるわよ！」

キュアブロッサムは大きく頷くと、みんながいる上空へ舞い上がった。

四人は頷き合い、いつものように花が開くポーズを作り、一斉に叫んだ。

「花よ咲き誇れ！　プリキュア！　ハートキャッチオーケストラ！」

すると、鏡がさらに強烈に輝きだし、中からデザートデビルより巨大な純白の衣を纏ったプリキュアの女神が召喚された。

驚くデザートデビルを見下ろす女神とともに、スーパープリキュアの四人がデザートデビルに向かってタクトを振ったり、タンバリンを叩いたりした。

女神は拳を振り上げると、デザートデビルに向かって振り下ろした。

デザートデビルは断末魔の悲鳴を上げた。

「はああああああ！」

スーパープリキュアたちは、いつもの浄化のように、タクトのクリスタルドームやタンバリンを回した。

デザートデビルは浄化されると、光の粒子となって消えていった。

同時に、女神も鏡の中に吸い込まれていった。

スーパープリキュアたちも通常のプリキュアの姿に戻り、薫子のもとに集まってきて、抱きついた。

「おばあちゃん、私たち、ついにやりました」

「みんな、本当に頑張ったわね。みんながもっと成長して、もっと心を一つにした時、『ハートキャッチミラージュ』は無限の力を与えてくれるわ」

「あれ以上に強くなれるんですか、あたしたち？」

キュアマリンが尋ねると、薫子は笑顔で頷いた。

「なれるわ、絶対に」

「キュアフラワーのレベルまで、私たちも達することができるんですか？」

続いて、キュアサンシャインが尋ねた。

「私が最後の試練を乗り越えて、デューンと戦った時は、『ハートキャッチオーケストラ』までしか使えなかったわ」

「私たち次第で、デューンも浄化できるってことですね？」

キュアムーンライトが瞳を輝かせた。

「それは私にも分からないわ。デューンの底知れぬ残忍性や憎しみを増幅する力は計り知れないの」

「………」

薫子の言葉に、全員が沈黙してしまった時、妖精たちが言った。

「大丈夫ですぅ！　みんなは『こころの大樹』に選ばれた伝説の戦士プリキュアですぅ！」

「今までだって不可能だと思ったことを可能にしてきたです！」

「みんな、頑張れでしゅっ！」

その励ましに、全員の顔に笑顔が戻った。

「そうですね。キュアムーンライトだって、あんなに深くて大きな悲しみを乗り越えて、プリキュアに復活したんですものね！」

「そうだよね！」

「プリキュアに不可能はない！」

仲間たちの言葉に、キュアムーンライトも大きく頷いた。

最後の試練を乗り越えてパワーアップしたプリキュアたちに、『砂漠の使徒』の三幹部の一人、サソリーナがコブラージャ、クモジャキーの『ダークブレスレット』を借りて、決戦を挑んできた。

プリキュアたちは苦戦したが、サソリーナが三つの『ダークブレスレット』のあまりのパワーに自分の体がついていけずに自爆しそうになった。プリキュアたちの慈悲の心による、『プリキュア！　ハートキャッチオーケストラ』でサソリーナは浄化され、かつての『こころの花』であったかたくりの花とともに何処かへと消え去った。

そんな中で、ついに『砂漠の使徒』の首領、デューンが薫子やゆりたちの前に一人で現れた。

少年の姿のデューンは、自分のダークパワーが封印されている薫子のペンダントを奪いにやってきたのだ。

ゆりたちはただちにプリキュアに変身して薫子を守ろうとしたが、ダークパワーが封印されているにもかかわらず、デューンの力とスピードは凄まじく、プリキュアたちは圧倒されて必殺技を出す暇さえ与えられずに、敗れて変身を解かれてしまった。さらに、コッペさえもあっさり退かされてしまった。

立ち上がることさえできないゆりたちの目の前で、デューンは薫子の胸からペンダントを剝ぎ取って、砕き壊した。封印されていたダークエネルギーが飛び出して、デューンの体に飛び込んだ。その瞬間、ダークな光に包まれたデューンは少年の姿から青年の姿に変わった。

「ふふふふ、キュアフラワーには僕も痛い目に遭わされたからね。これから、僕の側で『こころの大樹』が枯れるところや地球が砂漠の星となって人間どもが絶望の中で滅んでいくところをたっぷり見届けてもらうよ」

そう言い捨てると、デューンは迎えに来たサバーク博士とともに、薫子を連れて上空へ舞い上がり消えてしまった。

何もできぬまま、動くことができないゆりたちは歯噛み(はが)をして見送るしかなかった。

コッペも薫子たちが消えた上空を見上げて、今まで聞いたことがない悲しげな声で、吠(ほ)えるしかなかった。


極悪非道なデューンが次に行った所は、『こころの大樹』の前だった。

あれほどダークプリキュアが探してもなかなか見つからなかった『こころの大樹』の居場所も、ダークパワーを最大限に使ったデューンにとっては見つけるなど簡単なことだった。

キュアサンシャインによって張られていたバリアも難なく破壊したデューンは、拉致(らち)した薫子の目の前で、笑いながら右手を突き出して掌(てのひら)に集めたダークなエネルギーを撃ち込んだ。プリキュアたちによって元気になっていた『こころの大樹』にダークな光弾が命中し、どんどん巨大化していった。たちまち『こころの大樹』をすっぽり包み込むと、光弾の中で蠢(うごめ)いていたダークなエネルギーは渦巻きながら拡散して大爆発が起こった。『こころの大樹』は枯れ果て、根元の土もたくさんの塊となったが、落下することはなく大樹の周りに浮遊していた。

　薫子は悲痛な表情を浮かべて呟(つぶや)いた。

「なんてことを……」

　デューンは卑劣な表情を浮かべて笑い出した。

「はっはっはっ、これで地球を守るものは消え失せた。あとは僕が大量に送り込んだ『砂漠の種』がデザートデビルを誕生させれば、地球はジ・エンドだ」

「まだ地球には希望が残っているわ」

　薫子がデューンを睨(にら)みつけて言った。

「希望だと？」

「四人のプリキュアが必ずあなたを倒すわ」

「くくく……笑わせないでくれよ！　なぜおまえを人質にしたと思ってるんだ。小娘たちは必ず助けにやって来る。おまえの命と引き換えに小娘どもから『ココロパフューム』を頂くためさ」

「な、なんて卑劣なの！」

「何とでも言うがいいさ。プリキュアになれない小娘どもと妖精どもを、おまえの目の前で嬲り殺すんだよ。考えただけでもゾクゾクしてくるよ、キュアフラワー」

「デューン……！」

薫子は火が噴き出しそうな憎悪の目で睨みつけた。

「はっはっはっ、いいね、その目。もっともっと僕を憎むんだ。それが、50年前僕からダークパワーを奪ったおまえへのお仕置きさ」

「…………」

この男に救いはないと思った薫子は沈黙したが、ふとサバークを見ると、仮面の顎から汗が流れ落ちているのに気づいた。

――なぜあんなに汗が……？

薫子の視線に気づいたサバークは、すぐにデューンに進言した。

「デューン様、そろそろ惑星城に戻りましょう」

「そうだな。小娘どもを歓待する準備をしないとな」

デューンの言葉に、サバークは無言で頷いた。

その日の晩、世界各地にばら撒かれた『砂漠の種』からデザートデビルが誕生して暴れだした。

デューンが地球に来る前に、征服した星を砂漠化した精鋭部隊だけあり、プリキュアたちが倒してきたデザートデビルよりも大きさもパワーも2倍以上あった。

口から吐き出す光線で山やビルを破壊し、目から発射する光線ですべてを砂に変え、絶望した人間とその『こころの花』をクリスタルの中に閉じ込めてしまう恐ろしい能力を持っていた。

そんな怪物が１００万体も地球に送り込まれたわけだから、全世界はたった一晩で砂漠となってしまった。

デューンに敗れ気を失っていたゆりたちが植物園のぬいぐるみ館で目を覚ましたのは、翌日の朝だった。妖精たちからデザートデビルの総攻撃の話を聞いたゆりたちは外へ飛び出していった。

コッペが張った結界のおかげで無事だった植物園以外は、３６０度どこを見渡してもすべて砂漠になっており、上空には鈍色の雲が重く垂れ下がっていた。

「ま、まさか一晩でこんなことに……！」

ゆりは絶句した。つぼみたちも茫然自失で立ち尽くしている。

「家は……家はどうなってるの？」

えりかの言葉に、全員が我に返った。

「とにかく、様子を見に行きましょう！」

ゆりの提案で、四人はそれぞれの家を見に行き、1時間後にぬいぐるみ館に集合することにした。


ゆりが植物園の官舎へ向かう途中、砂漠のあちこちに突き刺さっているクリスタルを何個も目撃した。

クリスタルの中には、絶望した人々と萎れかけている『こころの花』が入っていた。

ゆりが官舎に到着する間、無事でいる人間は一人もおらず、砂漠がただ続いていた。

砂に足をとられて何度も転びながら、ゆりは屋上の一部がかろうじて砂漠の地表に出ている官舎の前に辿り着いた。

「お母さん！」

ゆりは叫びながら砂を懸命に手で掘った。クリスタルを掘り出すこともあったが、母以外の植物園の職員かその家族のものばかりだった。

「お母さん……」

それでも、ゆりは諦めずに掘り続けた。

その時、以前薫子から聞いた話を思い出した。薫子が言うには、一度『こころの花』をデザトリアンに奪われた人は、もう一度『こころの花』を奪われることはないというものだった。その理由は思い出せなかったが、ゆりは薫子の言葉に一縷(いちる)の望みを託して、掘るのをやめて、植物園に戻ることにした。

ゆりが植物園に戻ると、つぼみたちはすでに戻っていた。

「ゆりさん、どうでした？」

いつきが尋ねてきた。ゆりは首を横に振った。

「いつきの家族は？」

ゆりが尋ねると、いつきは足元に置いてあった三つのクリスタルを見ながら答えた。

「祖父と両親が閉じ込められたクリスタルは見つかったんですが、さつき兄さんのは見つからなくて……」

「そう……」

うなだれるいつきの肩を抱いて慰めようとした時、同じように涙ぐむつぼみをえりかが慰めていた。

「つぼみのご両親もクリスタルに……」

いつきが言った。ゆりは足早に近づいていき、つぼみの足元に置いてあるクリスタルを見た。

「酷すぎます……お母さんのおなかの中には新しい命が宿っているのに……」

「つぼみ、泣いていたって何も解決しないわ。こういう時こそ、私たちは心を強く持たないとダメよ」

ゆりの言葉に、つぼみが力なく頷いた時だった。

「ゆりちゃん！」

「えりか！」

「いつき！」

「花咲先輩！」

という声が聞こえてきた。

ゆりたちが砂漠化した公園の方を見ると、砂丘の上から春菜、ももか、さつき、女子サッカー部を作った上島さやかなど、かつてプリキュアたちによって『こころの花』を奪い返してもらった人たちだった。

――薫子さんが言っていたことは本当だったんだわ。

ゆりは心の中で呟いたが、母と再会しても笑顔は見せなかった。家族と再会できないつぼみの心情を慮ってのことだ。

「そうか！　ここにいる人たちって、みんなプリキュアに助けられた人たちなんだ！」

ももかと話していたえりかが突然叫んだ。

「でも、私の知らない人たちもいますけど」

つぼみが言った。

「知らなくて当然よ。キュアムーンライトが単独で助けた人たちもいるわ」

ゆりが言うと、いつきが大きく頷いて、

「なるほど、そういうことか！」

春菜も微笑みながら続けた。

「ここにいる人たちは、こんな砂漠の世界になってしまったけど、みんな、プリキュアが『砂漠の使徒』を倒して、元の世界に戻してくれるって信じているのよ」

さらに、ももかとさつきも言った。

「プリキュアたちはどんな強い敵でも必ず倒してくれたわ。だから、みんな、絶望なんかしないの」

「僕たちがプリキュアたちを信頼している限り、プリキュアはきっと応えてくれると思うんだ」

ゆり、つぼみ、えりか、いつきは顔を見合わせた。どの顔も先程までの沈んだ表情ではなかった。

その時だった。

砂丘の上に、デザートデビルが現れた。

デザートデビルは咆哮を上げると、砂煙を上げながら砂丘を下りてきた。

「皆さん、植物園の中は安全です！　さあ、逃げてください！」

つぼみの指示に従って、春菜たちは植物園の方へ逃げていった。

ゆりたちは全員が避難したことを確認すると、プリキュアに変身した。

「みんなの希望の灯を消さないためにも、戦い続けましょう！」

「はい！」

キュアムーンライトの言葉に、キュアブロッサム、キュアマリン、キュアサンシャインが大きく頷くと、迫ってくるデザートデビルの前に立ち塞がった。

デザートデビルは咆哮しながら口から光線を放ってきたが、プリキュアたちは難なく躱して、妖精たちと見守っているコッペを見た。

コッペは頷き、胸のハートの中に右手を突っ込むと、『ハートキャッチミラージュ』を取り出した。

プリキュアたちは頷き合い、叫んだ。

「世界に輝く一面の花！　ハートキャッチプリキュア！　スーパーシルエット！」

その瞬間、虹色の光が４筋飛び出していって、四人のプリキュアを包み込み、スーパープリキュアになった。

続いて、いつものように花が開くポーズを作り、一斉に叫んだ。

「花よ咲き誇れ！　プリキュア！　ハートキャッチオーケストラ！」

　鏡がさらに強烈に輝きだし、中からデザートデビルより巨大な純白の衣を纏ったプリキュアの女神が召喚された。

　デザートデビルを見下ろす女神とともに、スーパープリキュアの四人がデザートデビルに向かってタクトを振ったり、タンバリンを叩いたりした。

　女神が拳の一撃で、デザートデビルを倒すと、キュアムーンライトたちがタクトやタンバリンを振って、浄化に成功した。

　植物園の方から歓声が聞こえてきた。

　女神が消えて、スーパープリキュアがスーパーシルエット姿から通常の姿に戻った時、コッペが上空を見上げて、咆哮を上げた。

「コッペ様？」

　キュアマリンが言うと、コッペが上空の一点を指差した。

「もしかして、その方向に、おばあちゃんがいるんですか？」

　キュアブロッサムが尋ねると、コッペは頷き、サッと背中を見せて屈んだ。

「さあ、みんな、コッペ様の背中に乗るですぅ！」

「コッペ様がみんなを運んでくれるです！」

　コッペは長い手を伸ばして、全員を自分の背中に乗せた。

「コッペ様の背中って、広いんですね！」

キュアサンシャインが嬉しそうに言うと、キュアブロッサムが頷き、

「とっても頼もしいです！」

「出発進行でしゅ！」

ポプリが言うと、コッペがゆっくり舞い上がった。

その時、ぬいぐるみ館から春菜たちが出てきて、

「頑張ってください！」

「どうか怪我をしないように！」

「みんなで無事を祈っています！」

手を振って見送ってくれた。

その声を背にコッペはスピードを上げた。

雲間を抜けると、青空が広がった。

「私たちが希望を持つ限り、『こころの大樹』は完全には枯れていないと思うわ」

キュアムーンライトが言うと、みんなが頷いた。

キュアブロッサムは目を閉じた。

「こうやって目を閉じると、瞼の裏に美しい花をつけた『こころの大樹』が浮かんできます」

キュアブロッサムの言葉に、みんなも目を閉じた。

「『こころの大樹』よ、どうか枯れないでください」

「そして、みんなの心の支えになって欲しい」

「必ず私たちが助けます」

「どうかそれまで、待っててくださいね」

そう口々に呟くと、全員が目を開けた。


プリキュアたちが惑星城に向かっているのを監視衛星でキャッチしたサバーク博士は、城内の謁見の間にいるデューンに報告した。

「ほう。思ったより早いな」

デューンは余裕の笑みを浮かべた。

「デューン様、プリキュアたちが惑星城に到着する前に、必ずや我々の手で始末致します」

「分かった。任せよう」

サバークは一礼して退室していった。

デューンは玉座から立ち上がると、隣の部屋へ入っていった。

部屋の中央には、椅子に座り鎖で縛られた薫子がおり、入ってきたデューンを睨みつけた。

デューンは狡猾(こうかつ)な笑みを浮かべると、右手の指を鳴らした。すると、薫子の正面の壁に設置してある数台のモニターに、サバークのアジトや惑星城の各所の映像が映し出された。

アジトの門の前を映すモニターには、大勢のスナッキーがプリキュアを迎え撃つ準備をしているのが映っている。またアジトと惑星城を繋ぐ通路には、プリキュアを待つクモジャキーとコブラージャの姿が見える。さらに、サバークの部屋では、キュアムーンライトに敗れ、怪我の治療と体力の回復のために生命培養装置に入っていたダークプリキュアを出すサバーク博士が映し出される。サバークと何やら話すダークプリキュアの顔がアップになる。その目には誰が見てもキュアムーンライトに対する憎悪を宿しているのが分かる。

「ふふふふ、キュアフラワー、ダークプリキュアの目は最高だな。これから、滅びゆくプリキュアたちの楽しいショーが観られるよ」

「…………」

薫子は無言でデューンを睨みつけた。

灰色の星と化した地球を背に宇宙空間を飛んできたコッペの前方に、『砂漠の使徒』のアジトが見えてきた。アジトの奥には、長い橋が惑星城に続いている。

「あれが『砂漠の使徒』のアジトと惑星城ですね」

キュアブロッサムが言うと、キュアムーンライトが頷き、

「必ず薫子さんを救出して、デューンを倒すわよ」

「はい！」

プリキュアたちは緊張した表情で頷いた。

コッペがスピードを上げて、アジトの門前の砂漠に舞い降りた。

プリキュアたちがコッペの背中から飛び降りた時、門が開き、大勢のスナッキーが雪崩のように押し寄せてきた。

プリキュアたちは突きや蹴りでスナッキーたちを倒していく。

しかし、倒しても倒してもスナッキーたちは襲いかかってくる。その時、スナッキーたちの頭上を大きな影が横切った。コッペである。コッペは足を踏み鳴らすと、長い両手を伸ばして咆哮しながら独楽のように回った。

スナッキーたちはたちまち吹っ飛ばされていく。

「コッペ様は、ここは任せろって言ってるですぅ！」

「今のうちにキュアフラワーを助けるです！」

妖精たちの言葉に頷いたプリキュアたちは大きくジャンプしてアジトの中へ突入していった。

アジトの中にもスナッキーたちがいたが、プリキュアの相手ではなかった。片っ端から

吹っ飛ばして、プリキュアたちはアジトを突っ切り、惑星城に続く長い橋の前に辿り着いた。

「ここからがいよいよ正念場よ。プリキュアの誇りに懸けて戦い抜くわよ！」

キュアムーンライトの力強い決意表明に、キュアブロッサムは大きく頷いて、橋を駆け上っていった。

橋の途中まで来ると、クモジャキーとコブラージャが待ち構えていた。

二人は脱落したサソリーナと同じように、プリキュアたちがデザトリアンなどを浄化する際に浴びた聖なる光によって、人間の心を取り戻しかけており、『砂漠の使徒』の地球侵略に対しても疑問を抱くようになっていた。

だが、二人はそんなことはどうでもよかった。一人の戦士として、プリキュアと思う存分に戦いたいと思っていた。

プリキュアたちと睨み合いが続く中、クモジャキーとコブラージャが言った。

「プリキュアと俺、どちらかが倒れるまで力の限りぶつかり合う……俺はこの時を待っていたぜよ」

「僕は君たちと美しく戦いたい。もう『砂漠の使徒』なんてどうでもいい。さあ、美しく戦おう」

二人が猛然と突進してきた。キュアムーンライトとキュアブロッサムが身構える前に、キュアマリンとキュアサンシャインが飛び出していった。

「マリン、サンシャイン⁉」

キュアムーンライトとキュアブロッサムが同時に驚きの声を上げた。

「ここはあたしたちに任せて！」

「二人は早く薫子さんを！」

キュアマリンとキュアサンシャインは、それぞれクモジャキー、コブラージャと激しい肉弾戦を繰り広げながら叫んだ。

「でも……」

キュアブロッサムが躊躇(ためら)っていると、キュアマリンが叫んだ。

「大丈夫だって！　絶対追いつくから！　それともあたしたちのことが信じられないって言うの？」

「……いいえ！」

キュアブロッサムが答えると、キュアマリンとキュアサンシャインがニコッと笑った。

「信頼し合える絆(きずな)こそプリキュアの力よ。行きましょう！」

「はい！」

二人は橋の先へ駆けだした。

惑星城に突入したキュアムーンライトとキュアブロッサムは、スナッキーたちを倒しながら突き進んだ。

その様子を謁見の間の玉座に座ったデューンがモニターで観ている。

「せいぜいあがくがいい、プリキュアどもよ」

余裕の笑みを浮かべた。

薫子も同じ映像や別々の場所でクモジャキーと戦うキュアマリン、コブラージャと戦うキュアサンシャインなどが映されたモニターを観ていた。

その時、部屋の中にサバーク博士が入ってきた。

「サバーク……！」

「………」

二人は対峙した。

その頃、キュアムーンライトとキュアブロッサムは、城の中庭にあるコロシアムに出てきた。この場所は、デューンがスナッキーのために建てたもので、征服した星から連れてきた四人たちをどちらかが命を落とすまで戦わせていた。

石畳には、その時流された血の跡があちこちにあった。

「ここは……!?」

キュアブロッサムとシプレが呟いた時、キュアムーンライトが異様な気配に気づき、コロシアムを囲む石の柱の中でも一番高い柱を見上げた。

巨大な月を背に柱の上に立っていたのは、ダークプリキュアだった。

「ダークプリキュア！」

キュアブロッサムが叫び身構えたが、ダークプリキュアは無視して、キュアムーンライトを睨みつけたままだ。

「……ブロッサム、行きなさい」

キュアブロッサムは驚き、キュアムーンライトを見た。

「私は決着をつけないといけないの。ダークプリキュアと……かつての自分と」

「かつての……自分？」

キュアブロッサムの問いに、キュアムーンライトは小さく頷いて、

「仲間というものを信じられず、コロンを失い、ダークプリキュアに敗れた私……。ダークプリキュアに勝つことは、その自分に打ち勝つことなの」

キュアムーンライトは、ダークプリキュアを睨んだまま言った。

その決意の横顔を見て、キュアブロッサムはもう何も言わなかった。

キュアムーンライトは微笑み、

「さあ、薫子さんの所へ」

「はい！」

キュアブロッサムはシプレとともに、コロシアムを横切って城の奥へ駆け去った。

ダークプリキュアは二人には一瞥もせずに、柱の上から舞い降りて、キュアムーンライトの前に着地した。

「闇が光を飲み込む時が来た。今度こそ跡形もなく、おまえを消してやろう！」

そう言い放つと、ダークプリキュアは猛然とキュアムーンライトに襲いかかっていった。

サバーク博士と睨み合っていた薫子は、モニターに映るキュアムーンライトとダークプリキュアをチラッと観て、

「あなたとダークプリキュアさえいなければ……」

「………」

依然としてサバークは無言のままだ。

「ダークプリキュアは、自分は作られたプリキュアと言っていたそうね。あなたでしょう？　ダークプリキュアを作ったのは」

薫子の問いにもサバークは黙ったままだ。

「どうして、ダークプリキュアをムーンライトに似せて作ったの？」

サバークが沈黙を破った。

「似せて作っただと？」

「髪型こそ違うけど、瓜二つだわ」

薫子の指摘に、微かにサバークの肩が動いた。薫子はその微かな動きを見逃さなかった。

「私、ずっと考えていたの。どうして、あの時キュアムーンライトが……ゆりちゃんが助かったのかって……」

サバークはゆりの名前が出た途端、仮面に右手を当てた。明らかに動揺しているのが、薫子にも分かった。

「あなたがダークプリキュアを止めなければ、完全に倒せたはず。でも、あなたはしなかった……いいえ、できなかったんじゃないの？　何かが引っかかって……」

「何をバカなことを……」

サバークは薫子から視線を外すと、キュアムーンライトとダークプリキュアが戦っているモニターを振り返った。

「なぜ、視線を逸らすの？　ひょっとして、あなたは……」

薫子が言い終わらないうちに、サバークは踵を返して、

「ボスナッキー、ここは任せたぞ！　ダークプリキュアによってキュアムーンライトが倒

される姿、この目で見てくるとしよう」

部屋を出ていった。

その姿を見送りながら、薫子は確信した。サバーク博士はゆりの父親である月影英明であることを。


コロシアムで激しい戦いを繰り広げるキュアムーンライトとダークプリキュアを見下ろせる観客席の最上段に、サバーク博士が現れた。

サバークはただ二人の戦いを見ている。

コロシアムの中央で戦う二人は、その存在に気づかない。

全く互角の戦いをしていた二人が、パッと左右に散った。激しい息を整えながら両者が睨み合った時、ダークプリキュアが尋ねた。

「おまえは誰のために戦う?」

「誰のためでもないわ。生きとし生けるもの、すべての『こころの花』を守るためよ」

「それが、プリキュアの使命か……くだらん!」

刹那、二人がまたぶつかり合って、パッと散った。

「私は愛する人のために戦っている」

「愛する？　あなたには心がないんじゃなかったの？」

「違う！　私が戦うのはすべてサバーク博士のため！　愛する者がいないおまえが私に勝てるわけがない！」

キュアムーンライトが驚きの表情を浮かべた瞬間、凄まじい気迫でダークプリキュアが襲いかかってきた。自分の内なる思いを拳に迸らせて連続攻撃を浴びせた。キュアムーンライトは防戦一方でどんどん押されていった。


同じ頃、キュアブロッサムとシプレは、薫子が捕らえられている部屋の近くまで来ていた。

「おばあちゃん！」

キュアブロッサムが叫ぶと、廊下の突き当たりの部屋から薫子の声が聞こえてきた。

「ブロッサム！」

「あっちですぅ！」

二人がその部屋に飛び込むと、すぐに2体のボスナッキーが襲いかかってきた。さすがに、ボスナッキーだけあって、なかなか手強い。

キュアブロッサムが片方と戦っている隙に、もう片方が襲いかかってきた。

「ブロッサム、危ない！」

キュアブロッサムがなんとかその攻撃を躱した時、バラの花びらが舞い降りてきた。

刹那、青年姿のコッペが現れて、一瞬のうちに2体のボスナッキーを倒してしまった。

「コッペ様！」

キュアブロッサムとシプレは歓喜して叫んだ。

「ありがとう、コッペ」

薫子が言った途端に、コッペは元の姿に戻った。

「ああ……」

キュアブロッサムが溜め息を吐くのを見て、シプレが怒った。

「ガッカリしてる場合じゃないですぅ！」

「そうでした！　コッペ様、おばあちゃんを頼みます！　私はムーンライトの応援に行ってきます！」

キュアブロッサムが部屋を出ていこうとした時、薫子が叫んだ。

「ブロッサム、お願い！　サバークとムーンライトを戦わせないで！」

意外な言葉にキュアブロッサムは驚きの表情を浮かべた。

キュアブロッサムとシプレがコロシアムに到着した時、劣勢だったキュアムーンライトがダークプリキュアを巴投げで投げ飛ばしたところだった。

「ムーンライト！」

「ブロッサム？　どうして戻ってきたの？」

「おばあちゃんは助け出しました。ここは私も一緒に戦います」

余裕の笑みを浮かべたダークプリキュアがゆっくり二人に向かって近づいてくる。

「ブロッサム、あなたの思いは受け止めたわ。でも、この戦いだけは一人で戦いたいの。それが私とダークプリキュアの宿命なの」

キュアブロッサムは頷いて、キュアムーンライトから離れた。

再び、激しい肉弾戦が始まった。一進一退の攻防が続く中で、徐々にキュアムーンライトが優勢になっていった時だった。

いきなり、サバーク博士が動いた。

右手の掌に溜めたダークなエネルギーをキュアムーンライトに向かって放った。

気づいたキュアブロッサムが、

「危ない！」

と叫ぶと、キュアムーンライトを庇い、飛んでくるエネルギー弾の前に立ち塞がった。

まともに喰らったキュアブロッサムが悲鳴を上げて吹っ飛び、地面に転がった。

「ブロッサム！」

キュアムーンライトが倒れたキュアブロッサムを見た。同時に、ダークプリキュアは観客席のサバークを見て、

「サバーク博士！」

歓喜すると、俄然（がぜん）勇気づけられたのかキュアブロッサムに駆け寄ろうとしたキュアムーンライトに急接近して強烈なキックを浴びせた。

不意を突かれたキュアムーンライトが吹っ飛び、観客席前の壁に激突した。

サバークが観客席から飛び降りてきて、倒れているキュアムーンライトに向かって、右手を突き出した。掌に瞬時にダークなエネルギーが溜まっていく。

その時、キュアブロッサムが起き上がり、サバークの前にまた立ち塞がった。

「二人だけの戦いを邪魔しないでください！」

「邪魔だ！　どけ！」

再びエネルギー弾を放つ。キュアブロッサムは悲鳴を上げ、また吹っ飛んだ。

それでも、キュアブロッサムは歯を食いしばって起き上がろうとするが、思うように体が動かない。

サバークは容赦なく次の攻撃のために、右手にダークなエネルギーを溜めていく。

「やめるですぅ！」

シプレが飛んで来て、キュアブロッサムを庇うようにサバークの前に立ち塞がった。

「妖精に何ができる！　喰らえっ！」

　掌からエネルギー弾を射出した。

　だが、ダークプリキュアと戦っていたキュアムーンライトが気づき、素早く離れると、飛んで来るエネルギー弾に向かって飛んで行って盾になった。

　爆発が起こり、キュアムーンライトが悲鳴とともに吹っ飛んだ。

「ム、ムーンライト！」

　キュアブロッサムとシプレが同時に叫んだ。

「よ、妖精を戦いに巻き込んだらダメだと教えたはずよ……」

　キュアムーンライトは気力を振り絞って立ち上がったが、すぐにダークプリキュアが飛んで来て、パンチと蹴りを浴びせた。キュアムーンライトは懸命に防御するが、ダメージの少ないダークプリキュアに圧倒され、強烈な回し蹴りを腹に喰らい、血を吐いて吹っ飛んだ。

「甘いな、ムーンライト！」

　ダークプリキュアは右手を突き出すと、瞬時に集めたダークなエネルギーを掌から射出した。キュアムーンライトは避けることができず、再び吹っ飛び、動かなくなった。

「ムーンライト！」

　キュアブロッサムが駆け寄ろうとしたが、その前にサバークがスッと現れた。

「貴様は私が相手だ！　喰らえっ！」

　掌に溜めていたダークなエネルギーを射出した。

　キュアブロッサムは悲鳴とともに吹っ飛び、動かなくなった。

「ふふふ、所詮、貴様は史上最弱のプリキュアだ！」

　サバークがトドメを刺そうと近寄ろうとした時、キュアブロッサムの手が動きだして、

「……いいえ……私は少しずつだけど……変わったんです……」

　その声に呼応するように、近くで倒れていたキュアムーンライトの手も動きだして、

「……そうよ。私も変わった……今の私は一人じゃない……みんなの思いと……一緒に戦っている」

　ダークプリキュアがバカにしたような笑みを浮かべた。

「思いだと？　くだらん」

　その声に、キュアブロッサムが顔を上げると、

「くだらなくはありません……たしかに私一人ではダメでした……でも、仲間に助けられ、励まされ……私は強くなれたのです！」

　ゆっくり立ち上がった。

「ふん！　人の思いなど必要ないということを教えてやる！」

　ダークプリキュアの握りしめた拳がダークなエネルギーにより輝きだした時、キュア

ムーンライトも顔を上げて言った。

「あなたには本当の人の思いは分からないわ！」

「何っ⁉」

「プリキュアみんなの思い……受けてみなさい」

ついに、キュアブロッサムが猛然とサバークに突進して、強烈な突きと蹴りを浴びせた。

その瞬間、キュアムーンライトも立ち上がった。

その気迫ある攻撃にサバークも防戦一方になった。

「ま、まだこんな力が残っていたのか⁉」

キュアムーンライトも猛然とダークプリキュアに突進した。

ダークプリキュアは瞬時にエネルギー弾を射出したが、キュアムーンライトは躱して接近すると、得意の掌底打ちを顎に浴びせた。

ダークプリキュアはもんどり打って倒れたが、すぐに立ち上がった。しかし、すぐさまキュアムーンライトの二次攻撃に遭い、防戦一方になった。

「この私が押されている？　なぜだ？」

ダークプリキュアは劣勢を打開するために後方へ跳ね退くと、ダークタクトを出現させた。

負けじと、キュアムーンライトもムーンタクトを出現させた。

「ダークパワーフォルテッシモ！」

「プリキュア・フローラルパワーフォルテッシモ！」

二人は同時に邪悪な光と聖なる光に包まれると、凄まじいスピードでぶつかり合った。

大爆発が起こり、爆煙の中でクロスした両者が着地した。

だが、次の瞬間、ダークプリキュアの体のあちこちに電流が走りスパークすると、バタリと倒れた。

それでも、ダークプリキュアはタクトを杖にして立ち上がろうともがくが、なかなか立ち上がれない。

「ついに決着の時が来たわね」

キュアムーンライトは静かに言い、タクトを振り上げて、

「花よ輝け！　プリキュア・シルバーフォルテウェイブ！」

タクトの先に集まった聖なる光を射出した時だった。

キュアブロッサムと戦っていたサバークが素早く飛んで来て、ダークプリキュアを庇った。

聖なる光がサバークの仮面に命中して、真っ二つに割れて地面に落ちた。

「ううっ……」

サバークが両手で顔を覆いながら苦しみだした。

「うわあああああ！」

ガックリと両膝を突くと、両手もダラリと下がり、その顔が明らかになった。

月影英明であった。

「お父さん……！」

キュアムーンライトは驚愕したまま立ち尽くした。

英明はゆっくり顔を上げて、

「ゆり……」

そのまま見つめ合う二人を、キュアブロッサムとシプレが驚きの表情で見守っている。

「まさか、サバーク博士がゆりさんのお父さんなんて……！　それで、おばあちゃんは戦わせるなと言ったんですね」

キュアブロッサムが呟くと、シプレが頷いた。

キュアムーンライトの目にみるみる涙が溜まっていくと、

「お父さん！」

駆け寄って、英明に抱きついた。

「ゆり……私にはおまえを抱きしめる資格はない」

英明はキュアムーンライトから顔を背けた。

「……すべては私の心の弱さが引き起こしたこと」

英明は砂漠化した地球を見上げて続けた。

「あらゆる命と心を見守る『こころの大樹』……私はその秘密を解き明かし、みんなを幸せにできると信じていた。そして、4年前、私はパリ郊外の山の中で、ついに『こころの大樹』を発見して、調査を開始した。私は『こころの大樹』のとてつもない生命力に接し、心が打ち震えるほど感動した。だが、調査研究をすればするほど、今の科学力では『こころの大樹』の秘密を解き明かすことは不可能だと分かった」

キュアムーンライトは無言のまま、英明の話を聞いていた。

「幸せは一人一人が少しずつ頑張って摑むもの……そんなことも私は理解しようとしなかった。研究に行き詰まった私の前にデューンが現れて、『こころの大樹』を利用すれば、人間を支配できる。仲間になれば、研究費用はいくらでも出すと、言葉巧みに誘ってきた。私は心が揺らいだ。その隙を突き、デューンは私に仮面を被せた。その時からサバークとして世界を滅ぼす手先となってしまったのだ……ゆり、私は……」

その時、倒れていたダークプリキュアが、起き上がった。

「キュアムーンライト！　サバーク博士から離れろ！」

苦しみながら必死に英明の元へ歩いてくる。

キュアムーンライトが身構えると、英明がその肩に手を置いて制した。

「お父さん……？」

「仮面を被ってからというもの、私は人間としての記憶が日に日に薄れていくのを感じた。おまえや母さんの面影さえ忘れそうになっていく自分を恐れた。そこで、採取していた『こころの大樹』の細胞を培養して、『砂漠の使徒』の科学力と、おまえの髪の毛から採取したDNAを使って、ダークプリキュアを作り出したのだ。ダークプリキュアを側に置くことで、おまえを忘れないために……だが、結果として、私はおまえを苦しめるためにダークプリキュアを作ってしまったようだ」

英明はキュアムーンライトの肩から手を離すと、ふらつきながら近づいてきたダークプリキュアのもとへ歩きだした。

「キュアムーンライトを倒すためだけに存在する心のない人形……でも、いいんだダークプリキュア。もう、いいんだ……」

優しくダークプリキュアを抱き締めた。ダークプリキュアの表情が柔和になっていく。

「ゆり、この子は……おまえの妹だ」

「！　――」

英明の言葉に、キュアムーンライトは瞠目した。

「私は娘同士を戦わせてしまった……ダークプリキュア……おまえは私の娘だ」

ダークプリキュアの体が閃光し始めた。

「お父さん……」

嬉しそうに微笑むと、キュアムーンライトを見た。

その勝ち誇ったように顔に、キュアムーンライトは戸惑いの表情を浮かべた。

その時、ダークプリキュアが握りしめていた左手から『プリキュアの種』の欠片が落ちた。

同時に、英明の腕の中で満足し切った表情のダークプリキュアが目を閉じると、その体は光の粒子となって夜空へ舞い上がっていった。

「ダークプリキュア……」

英明が呟いた時、拍手する音が響いてきた。

そこにいた全員が観客席の最上部を見ると、デューンが拍手していた。

「デューン！」

英明が睨みつけると、キュアムーンライトとキュアブロッサムがその左右にやって来て、同じように睨みつけた。

「とんだお涙頂戴だね。とっても面白かったよ」

「くっ……」

英明が唇を噛みしめた。

デューンはゆっくり階段を下りてきた。

「月影博士、君はいつも僕を楽しませてくれるね。でも、『こころの大樹』が枯れ、地球が砂漠になった今、もう君はお役御免だよ」

デューンは右手を挙げると、急速にダークなエネルギーが集まり、大きな光弾を形成していく。

「アデュー、月影博士！」

右手を振り下ろすと、凄まじいスピードで光弾が英明に向かって飛んで行った。

キュアムーンライトとキュアブロッサムは、同時に飛び出して光弾をブロックしたが、光弾の中で蠢いていたダークなエネルギーが一気に噴き出した。

悲鳴とともに、吹っ飛んだ二人はプリキュアの変身が解けて、白いドレス姿になってしまった。

「無駄なことを！　君たちは弱すぎる！」

ゆりとつぼみは起き上がろうとするが、ダメージが大きく思うように体が動かない。

余裕の笑みを浮かべたデューンがトドメを刺そうと再び右手を挙げてダークなエネルギーを集めた。

「やめろ、デューン！」

英明が叫んだ。

「強いものが弱いものを喰らう。なにか問題があるかな？」

デューンは皮肉たっぷりに言うと、ダークな光を帯びた光弾を放った。

英明はゆりたちの前へ飛び出すと、両手を突き出して光弾を受け止めた。プリキュアさえ変身が解けるほどの威力がある光弾を受け止めるのは、仮面なしの英明には無謀な行為であった。

「お父さん！」

ゆりの声に、英明は振り返り、笑みさえ浮かべると、

「ゆり……お母さんを……頼む」

前を向き直した。その瞬間、光弾の中のダークなエネルギーが噴き出して英明を飲み込むと、こっぱみじんに吹っ飛んだ。

髪の毛一本さえも残さず、英明はすべての罪を背負ってこの世を去った。

「……お父さん」

ゆりは両手を突いたままガックリとうなだれ、肩を震わせた。

震えが止まると、ゆりは双眸に憎しみの炎を宿してデューンを睨みつけた。

「デューン！」

「君も僕に憎しみをぶつけてくれるのかな？」

デューンがいかにも楽しそうに尋ねた。

ゆりはデューンを睨みつけたまま、ゆっくり立ち上がった。

「許さない！」

ゆりが心の底から絞り出すように言い、そのままデューンへ向かって歩を進めようとした時だった。

つぼみがゆりの右腕を摑んだ。

「放しなさい」

ゆりは前を睨んだまま言った。

つぼみは目に涙を浮かべながら、

「嫌です！　自分の怒りや憎しみを晴らすために戦うなんてやめてください……」

「でも、私はあいつが憎いのよ……あいつのせいで私はお父さんやコロンを失ってしまった……憎しみが力になるのなら、私はそれでも構わないわ！」

前に進もうとするゆりを、零れる涙も構わずつぼみは必死に止めた。

「情けないこと言わないでください！　私が好きなゆりさんはそんなこと言いません！」

つぼみの強い口調に、ようやくゆりがつぼみを振り返った。

「お願いです、憎しみのまま戦えば、みんな負けてしまいます。悲しみや憎しみは、誰かが歯を食いしばって耐えなくちゃダメなんです！　私たちが頑張ってプリキュアしてきたのは何のためなんですか？　コロンやお父さんがゆりさんに託したものはなんなんですか⁉」

それでも、なお進もうとするゆりに、

「月影ゆり！」

つぼみに呼び捨てにされて、ゆりはハッとなった。

「私が憧れた、キュアムーンライト！」

つぼみはゆりに向けて左手の拳を突き出して、静かに広げた。掌(てのひら)にはダークプリキュアが落とした『プリキュアの種』の欠片が載っていた。

「！――」

ゆりは瞠目した。

「あなたが何をするべきなのか、そして、何のために戦うのか……自分で考えてください！」

つぼみの言葉がゆりの心を突き刺した。そして、静かにゆりの体の隅々まで沁(し)み渡っていった。

ゆりは自分の胸に掛けてあった『プリキュアの種』のペンダントを外して、『プリキュアの種』の欠片ごとつぼみの手を握りしめた。その手の中で、二つの欠片が一つになった。

その時、コロシアムにキュアマリンとコフレ、キュアサンシャインとポプリ、薫子とコッペが入ってきた。

「つぼみ！　ゆりさん！」

キュアマリンが叫んだ。

それまでつねに余裕の表情を浮かべていたデューンが少し驚いた。

「ほう。コブラージャとクモジャキーは敗れたのか……」

キュアマリンたちはゆりとつぼみに駆け寄った。

「みんな、無事だったんですね！」

つぼみが笑顔で言うと、キュアサンシャインも笑顔で答えた。

「ちょっと手間取ってしまったけどね。コブラージャもクモジャキーも、ちゃんと浄化したよ」

薫子とコッペは用心深くデューンを見ている。

「キュアフラワー、なぜおまえたちはそんなに戦おうとする？　『こころの大樹』はすでに枯れ果てたというのに」

「『こころの大樹』は枯れてはいないわ」

薫子が答えると、デューンが驚きの声を上げた。

「何っ⁉」

「希望を捨てない人間が生きている限り、プリキュアがあなたを倒すのを信じている者がいる限り、『こころの大樹』は何度でも蘇るのよ」

「なるほどね。面白い。そんな奴らや『こころの大樹』の前で、君たちを倒せばいいってことだね。では、『こころの大樹』の前で、決着をつけようではないか。待っているよ」

そう言うと、デューンはスッと消えた。

「デューンめ、あたしたちが来たんでビビッたんじゃないの」

キュアマリンが言うと、つぼみが即座に否定した。

「それはありません。デューンは私たちが考えている以上に強いです」

「そんなに強いの？」

キュアマリンが尋ねると、キュアサンシャインが答えた。

「つぼみとゆりさんを見れば分かるんじゃないのかな」

「二人とも危なかったですぅ。サバーク博士がいなかったら……」

シプレが言い終わらぬうちに、薫子がゆりを見て尋ねた。

「お父さんが助けてくれたのね？」

「…………」

ゆりは無言で頷いた。

「でも、そのために、ゆりさんのお父さんは……」

つぼみが声を詰まらせた。

「どういうこと？　話が見えないんだけど」

キュアマリンが尋ねると、薫子がゆりの肩を優しく抱いて、

「サバークはゆりちゃんのお父さんの月影博士だったのよ」

「ええ──っ⁉」

事情を知らないキュアマリンたちが驚きの声を上げ、うなだれたままのゆりを見たまま

絶句した。

「月影博士は……あの仮面によってデューンに操られていたんです」

つぼみが言うと、薫子は何度も頷き、ゆりの肩をギュッと抱き締めた。

その時、無言のまま優しい眼差しでゆりを見ていたコッペが口を開いた。

「みんな、休みなさい」

「えっ？」

全員がコッペに注目した。

「今喋った（しゃべ）の、コッペ様だよね？」

キュアマリンが言うと、キュアサンシャインが頷いた。

「なーんだ。コッペ様って喋れるんだ」

「コッペ様はワタシたちといる時は普通に喋ってくれるですぅ」

「えりかと違って、寡黙なだけです」

「だから、カッコいいでしゅ！」

妖精たちが言うと、コッペは頭を掻（か）いた。

「コッペ様は休みなさいって仰いましたが、ここは惑星城です。休む所なんかありません」

つぼみが言うと、薫子が微笑み、

「大丈夫よ。妖精たちに案内してもらいなさい」

「みんな、ついてくるでしゅ！」

ポプリを先頭に、シプレ、コフレがコッペの胸の大きなハートの中に飛び込んだ。

「さあ、続いて！」

薫子に促されて、ゆりたちも飛び込んだ。

すると、そこはコッペの体内にある異空間で、青空の下に花畑が一面に広がっており、蝶が舞い、鳥が囀っていた。

「こ、これは……!?」

ゆりたちは驚き、立ち尽くした。

「コッペ様の体の中には、癒やしの空間があるですぅ！」

シプレが自慢げに言った。

「あんたたち、よくコッペ様の体の中に飛び込んでいたけど、こういうことだったの？」

妖精たちが頷き、ポプリが一方を指差して言った。

「あっちには温泉もあるでしゅ！」

「温泉!?」

ポプリが指差す方を見ると、岩場があり湯煙が上がっていた。

「凄ーい！」

キュアマリンとキュアサンシャインは即座に変身を解くと、歓声を上げながら駆けだした。

「ゆりさん、私たちも行きましょう」

つぼみに促されて、ゆりも妖精たちと続いた。


露天風呂に、四人と妖精たちが気持ちよさそうに入っている。

湯は適温で、『砂漠の使徒』たちとの壮絶な戦いで疲れた体を蘇らせてくれる。

「気持ちいいです～！」

「お気楽、極楽～！」

「体の疲れがどんどんとれていく気がするね」

つぼみたちはデューンとの最後の戦いが待ち構えていることなど忘れて、温泉を堪能しているが、ゆりは違った。

完全に一つになった自分の『プリキュアの種』を見つめながら感慨に浸っていた。父さえデューンに支配されなかったら、ダークプリキュアは生まれてくることはなかったはずだ。父は心を持たない人形と言ったが、そうではなかったと思う。ダークプリキュアは父に愛されたいために、父を独占したいために、戦いを挑んできたのだから。

敵味方でなかったら、妹として抱いてやることもできただろうし、姉妹としていろんな話もできただろう。そう考えると、ダークプリキュアが哀れに思えた。父の腕の中で消え去ったのがせめてもの救いだった。

ゆりがそんなことを考えていると、つぼみの声がした。

「ゆりさん、どうしたんですか？」

ゆりが我に返り顔を上げると、みんなが心配そうに見ていた。

「ううん、何でもないわ。それより、デューンの手下として働いてしまった……父を許して」

ゆりが悲しみを堪えながら頭を下げると、目に涙を溜めたつぼみが近づいてきた。

「ゆりさん……謝ることなんかありません。一番悲しい思いをしているのに……」

ゆりに抱きつき、涙を流した。続いて、えりかが来て、

「我慢することないよ！　こういう時は思いきり泣いたっていいんだよ！」

泣きながらゆりに抱きついた。さらに、いつきも来て、

「何を言っていいか分からないけど……一緒に泣くことしかできないけど……」

泣きながらゆりに抱きついた。

妖精たちも泣きながら飛んで来て、同じくゆりに抱きついた。

「みんな……ありがとう……」

堪えていた涙が堰を切ったように溢れ出し、ゆりの頬を伝わり落ちたかと思うと、

「うっ……ううっ……うわあああ――――っ!!」

大声を上げて号泣した。３年以上待ち続けた父の非業(ひごう)の死を目撃したゆりの悲しみを思

かった。

　どれくらいの間泣き続けたのであろうか。全員が静かになったが、涙は涸れることはなかった。

　その時、えりかがポツリと言った。

「涙って涸れないもんなんだね」

「えりか……」

　つぼみが呟くと、えりかは涙を手で拭い、

「あたし、前から思ってたんだけどさ、涙って自分を強くするもんだよね。あたしも、ももネエにコンプレックスを感じて、何度も一人で泣いたことあったけど、泣き終わると不思議に負けないぞって思った」

「私も同じです。子供の頃、父と母は仕事で忙しく、友達もできずに、よく一人で泣いていました。でも、泣き終わると心が少し軽くなったような気がしたものです」

「僕も同じだよ。本来あるべき自分を押し殺して、生き続けることに堪えられなくなったんだよね。でも、涙がそんな弱い自分を一緒に流してくれたような気がしたよ」

　ゆりは三人の言葉を静かに聞いていた。その目にもう涙はなかった。

「父は……私たちを強くしてくれたのかもしれないわね」

　つぼみはゆりの表情が穏やかになったのを見て言った。

「ゆりさん、さっきは生意気なこと言ってごめんなさい」

ゆりは首を横に振った。

「あなたの優しい気持ちと思いやりの心が私に大切なものを思い出させてくれたのよ」

その時、ザブーンと音を立てて、えりかが立ち上がった。

「でも、笑っちゃうよね！ たった14歳の美少女が、地球を守るためにデューンと戦うなんて」

みんなが驚いてえりかを見たが、コフレが小首を傾げて言った。

「美少女は……微妙です」

「コフレ、ちょっとそれ、どういうことよっ⁉」

睨みつけると、シプレが言った。

「それに、ゆりは17歳ですぅ」

「あ……ゆりさん、ごめんなさい」

えりかが頭を掻きながら言うと、ゆりがクスッと笑った。

「もう、えりかったら！」

つぼみが言うと、みんなが笑い出した。みんなはえりかが自分たちの仲間でよかったと思う。えりかのポジティブな姿勢に、これまでもどんなに助けられたことか。

「デューンを倒して、地球を元通りにしたら、みんなは何をするんですか？」

つぼみが尋ねると、即座にえりかが答えた。

「あたしはバリバリ洋服のデザインしたいな！　そして、絶対プロのファッションデザイナーになって、自分のブランドを立ち上げてみせるっ！」

力強く拳を握りしめると、いつきが笑顔で言った。

「いいね！　えりかならきっとできるよ」

「いつきは？」

今度はえりかが尋ねた。

「そうだな……明堂院流の武術を続けながら、いろんなことにチャレンジしたいな」

「たとえば？」

つぼみが身を乗り出して尋ねると、

「それは……秘密」

つぼみとえりかは、思わずコケそうになった。

「教えてくれたっていいじゃん！」

えりかが不満そうに言うと、ポプリが得意げに言った。

「ポプリは知ってるでしゅ。でも、教えないでしゅ」

「もう！」

えりかが頬を膨らませると、またみんなが笑った。

「ゆりさんは？」

いつきが尋ねると、ゆりはちょっと考えて答えた。

「そうね……母を守りながら、父の後を継いで、植物学者になりたいわ」

「ゆりさんらしいですね」

つぼみが言うと、みんなも頷いた。

「つぼみはどうするですかぁ？」

シプレが尋ねると、つぼみは少しはにかみながら答えた。

「砂漠に木や花を植えて、緑化する仕事をしたいです。それが成功したら、宇宙のあちこちに行って、すべての星をお花でいっぱいにしてみたいです！」

「さすが、あたしたちの親友！　夢がでっかいねえ！」

えりかが褒めたが、つぼみは右手の人差し指を立てて振り、

「チッチッチ。親友じゃありません、大親友です！」

再びみんなが笑った。

「それじゃあ、みんな！　地球のために、私たちの夢のために、デューンを倒しに行きましょう！」

つぼみが言うと、全員が大きく頷き、立ち上がった。そして、最後にゆりが言った。

「私たちは憎しみではなく、プリキュアらしく愛で戦いましょう！」

すべてが吹っ切れたのか、その表情は晴れ晴れとしていた。つぼみたちは満面の笑みを浮かべて、

「はい！」

と大きな声で答えた。


コッペの中から出てきたゆりたちと妖精たちは、薫子とコッペの前に立った。

「コッペ様のおかげで、体も心もリフレッシュできました！」

ゆりが言うと、全員で、

「ありがとうございました！」

と頭を下げた。いつも無表情のコッペが笑顔になり、目をパチクリした。

薫子も微笑み、言った。

「みんな、いい顔になったわね！　それじゃ、準備をして」

毅然（きぜん）とした表情でゆりたちが頷いた。

「『プリキュアの種』、いくですぅ！」

シプレを最初に、コフレ、ポプリが『プリキュアの種』をパートナーたちに放出していく。ゆりも『ココロポット』の蓋に丸くなった『プリキュアの種』をセットした。

「プリキュア！　オープンマイハート！」

四人が一斉にプリキュアに変身していく。

「大地に咲く一輪の花　キュアブロッサム！」

「海風に揺れる一輪の花　キュアマリン！」

「陽の光浴びる一輪の花　キュアサンシャイン！」

「月光に冴える一輪の花　キュアムーンライト！」

そして、

「ハートキャッチプリキュア！」

四人は決意も新たに決めポーズを取った。

「地球の運命は、あなたたち四人に託されているわ。さあ、『こころの大樹』のところへ行きましょう！」

薫子が言うと、頷いたプリキュアたちと妖精たちがコッペの背中に飛び乗った。最後に薫子も飛び乗り、

「コッペ、頼むわ！」

コッペは目をパチクリさせると、上空に向かって舞い上がった。

枯れ果てた『こころの大樹』の前でプリキュアたちが来るのを待っていたデューンの双眸が大きく見開かれた。

プリキュアたちを背中に乗せたコッペが聖なる光に包まれたまま、大気圏内に突入してきたのだ。

コッペが大樹の周りに浮遊している土の塊の一つに着地すると、プリキュアたちもコッペの背中から降りた。

「ふふふ……待っていたぞ、プリキュア！　ここでおまえたちを葬り去れば、まだ『こころの花』が枯れていない人間どもが絶望し、地球は完全に僕のものになる」

「デューン、なぜあなたはそこまで地球に拘るの？　宇宙にはもっとあなたたち『砂漠の使徒』に適した星があるはずでしょう」

キュアムーンライトが尋ねた。

「地球は僕の憎しみを増幅させるのに最もふさわしい星だからさ」

「憎しみを増幅させる？」

今度はキュアマリンが尋ねた。

「僕がこの世で最も嫌う父が手に入れようとした星を、この手で支配して穢したいのさ」

「この世で一番嫌うお父さんって……どういうことですか？」

驚きの表情を浮かべたキュアブロッサムが尋ねた。

「まあ、すでにこの世にはいないがね。僕が殺したからさ」

あまりの衝撃的な告白に、プリキュアたちは絶句した。

「どうせ、君たちはここで死ぬんだ。教えてやろう。『砂漠の使徒』の首領だった父は義母に唆されて、第一後継者の僕を殺そうとしたんだよ。幸い乳母が察して、僕を城の外へ脱出させてくれた。だが、追っ手に見つかり、乳母は僕の目の前で殺されたんだよ。７歳だった僕は逃げ回り、辿り着いたとある建物に身を隠した。そこは邪神教の教会でね、僕は崇められていたデビルの像に祈ったんだ。僕の魂を捧げるから、父を殺す力をくれとね」

「…………」

プリキュアたちの表情は完全に凍りついていた。

「おかげで僕は無限の力を手に入れて、父と義母と腹違いの弟をこの手で切り刻んでやったよ」

プリキュアたちの目に涙が浮かんでいた。

「かわいそうな人だったんですね……」

キュアブロッサムがポツリと言った。

「おいおい、そこは拍手するところだろう？」

デューンはニヤリと笑うと、

「冥途の土産話も持たせてあげたし、そろそろ始めようよ」

その瞬間、体からダークなエネルギーが迸(ほとばし)り、デューンは凄まじいスピードでプリキュアたちに接近してきた。

妖精たちは瞬時にマントに変形して、それぞれのパートナーの首に巻きついた。キュアムーンライトも肩の飾りを叩くと、マントが現れた。

「行くわよ！」

キュアムーンライトの掛け声で、四人のプリキュアがデューンに向かって突っ込んでいき、空中で肉弾戦を繰り広げた。

だが、デューンはプリキュアたちの突きも蹴りもことごとく躱した。

「その程度のスピードでは、僕は倒せないよ！」

「大きなお世話よ！　おりゃおりゃおりゃおりゃ――っ！」

キュアマリンが連続的にパンチを浴びせるが、デューンは余裕の表情ですべて躱した。

「ハァ、ハァ……」

キュアマリンが荒い息を整えた時、その背後にスッと現れたデューンが強烈なキックを浴びせた。

キュアマリンは悲鳴を上げ、土の塊(かたまり)の上に激突して、土煙が上がった。

「マリン！」

キュアムーンライトとキュアブロッサムが叫ぶ横で、キュアサンシャインがデューンを睨みつけると、猛然と突っ込んでいった。

キュアサンシャインは手刀と蹴りの連続攻撃をデューンに浴びせた。だが、デューンはことごとく躱すと、スッと姿を消してしまった。

「どこに行ったの⁉」

キュアサンシャインが周囲を捜すが、その姿を発見できずにいると、

「サンシャイン、上よ！」

キュアムーンライトの声で、ハッとなったキュアサンシャインが頭上を見た途端、邪悪な光を掌に集めたデューンが急降下してきた。

「サンフラワー・イージス！」

キュアサンシャインは素早く両手を突き出して光の盾を出現させた。だが、デューンの掌から放たれた邪悪な光弾が盾を砕き、キュアサンシャインを直撃した。

キュアサンシャインは悲鳴を上げ、キュアマリンと同じように土の塊の上に激突して、土煙が上がった。

「サンシャイン！」

キュアブロッサムは叫び、デューンを睨みつけて攻撃に出ようとした時、その腕を掴んで、キュアムーンライトが制した。

「ムーンライト？」

「一対一では敵わない。ここは心を一つにして戦うのよ！」

「はい！」

二人は同時にデューンの前に突進していくと、その直前で左右に散った。次の瞬間、絶妙なコンビネーションで掌底打ちと蹴りを浴びせていった。流石に躱せないと思ったデューンは防戦に徹した。

「ほう、なかなかやるじゃないか」

その隙に立ち上がったキュアマリンとキュアサンシャインが、『ココロパフューム』に、レッドの『こころの種』をセットした。

「レッドの光の聖なるパフューム！」

「シュシュッと気分でスピードアップ！」

『ココロパフューム』の赤い香水をかけると、二人の体が赤い光で包まれた。

「いくよ、サンシャイン！」

「ええ！」

凄まじい速度で舞い上がると、キュアブロッサムとキュアムーンライトに加勢し、デューンを圧倒していった。

「うりゃうりゃうりゃうりゃ！」

キュアマリンの連続パンチにデューンが防戦一方になったところを、素早く背後に回り

込んだキュアサンシャインが、

「たぁああああ――っ！」

気合を込めた強烈な回し蹴りを脇腹に決めた。

吹っ飛んだデューンが、浮遊している土の塊に激突した。

「今です！」

キュアブロッサムが叫ぶと、全員が瞬時にタクトとタンバリンを出現させて重ね合わせた。

「ハートキャッチミラージュ！」

近くの土の塊の上で見守っていたコッペの胸のハートマークから『ハートキャッチミラージュ』が飛び出して、四人の頭上に飛んできた。

「鏡よ鏡！　プリキュアに力を！」

『ハートキャッチミラージュ』の中央にキュアブロッサムがパワーアップの種をセットすると、その周囲にプリキュアたちのパーソナルカラーであるピンク、ブルー、ゴールド、シルバーのボタンが輝きだした。キュアブロッサムは集まった四人のパワーとパワーアップの種をハートキャッチペンでミックスして、一つのパワーにすると、『ハートキャッチミラージュ』の鏡が輝きだし、プリキュアの花を咲かせた。

「世界に輝く一面の花！　ハートキャッチプリキュア！　スーパーシルエット！」

四人が同時に叫ぶと、鏡から虹色のハートの光が飛び出してプリキュアたちの体を包んだ。その瞬間、ティアラ、イヤリング、そしてハートマークの翼が出現して、スーパーシルエットが完成した。

さらに『ハートキャッチミラージュ』の鏡から光の花の道、フラワーロードが現れ、デューンに向かって伸びていった。

スーパーシルエットの四人がフラワーロードを滑るようにデューンに向かって接近していき、

「花よ咲き誇れ！　プリキュア！　ハートキャッチオーケストラ！」

それぞれのタクトとタンバリンから聖なる光が照射され、デューンの体を包み込んだ。

聖なる光の中でデューンはもがき苦しむが、その双眸にはみるみる憎しみの炎が燃え盛った。

「うおおおおお――――っ！」

野獣のような雄叫びを上げると、デューンの体から邪悪なエネルギーが迸り、聖なる光を弾き飛ばした。

「ハートキャッチオーケストラが……効かない⁉」

プリキュアたちは愕然となった。

その間にも、デューンを包んでいた邪悪なエネルギーはどす黒い光を放ちながらグングンと巨大化していく。

「な、何が起ころうとしているの……⁉」

キュアマリンが呟くと、さらに膨張を続けるどす黒い光の中からデューンの笑い声が聞こえてきた。

「くっくっくっく……」

次の瞬間、凄まじい雄叫びが響くと、バーン！　と邪悪なエネルギーが弾け飛んだ。

そこには、長い尻尾とコウモリのような翼を生やした悍(おぞ)ましいデビルの姿をしたデューンが現れた。

「やってくれたね、プリキュア。でもね、この程度では僕は倒せない」

あまりの変わり果てたデューンの姿にプリキュアたちは絶句した。

「僕の憎しみは消えないよ。憎しみは増殖し、すべてを破壊し、奪い尽くすまで消えることはない。君たちがよく口にする愛など、僕の憎しみの前ではゴミだということを教えてやろう！」

デューンは再び雄叫びを上げると、足元から紫色の不気味な雲を発生させながら、さらにその体を巨大化していく。

雲は帯状になって瞬く間に地球を囲むように広がっていく。雲から放たれる邪悪なエネルギーにより、『こころの大樹』の周辺に浮遊していた土の塊が崩壊していく。

薫子はコッペとともに、『こころの大樹』の根元に移動しており、コッペの結界で邪悪なエネルギーの影響は受けていない。

「みんな、こっちへ！」

薫子の声に、プリキュアたちはコッペの結界の中へ飛び込んできた。

その前では、土の塊はすべて消え去り、デューンが不気味な雲の上で依然として巨大化を続けている。

「あれがデューンの真の姿なのでしょうか？」

キュアブロッサムが尋ねると、薫子が答えた。

「私が戦った時は少なくとも人間の姿をしていたわ」

「あれはデビルに魂を売り、デビルに体まで乗っ取られた哀れなデューンの姿だと思う」

キュアムーンライトが言った。

その間にも、デューンは地球の半分ほどの大きさになり、そこで巨大化が止まった。

「あれがデューンの憎しみの大きさを具現化したってわけか……」

キュアサンシャインが憐(あわ)れみを込めて呟いた。

その時、キュアマリンがニヤリと笑い、

「でも、無限ってわけじゃないじゃん！」

みんながキュアマリンを見た。

「こっちはまだプリキュアの無限の力を使ってないんだから、勝てるっしょ！」

みんなの顔に笑みが浮かんだ。

キュアムーンライトたちはキュアマリンの超ポジティブな発言によって、闘志が湧き上がってきた。

デューンは灰色の星と化した地球に拳を打ちつけ始めた。おそらく地球でプリキュアの勝利を待ち続ける人々がその衝撃に恐怖を抱いているに違いない。

「地球をこれ以上デューンに好き勝手させるわけにはいかないわ！」

キュアムーンライトが言うと、キュアマリンが続けて、

「それじゃあ、ちょっくら地球を守りに行きますか！」

「はい！」

キュアブロッサムとキュアサンシャインが笑顔で頷いた。

プリキュアたちは薫子とコッペに向かって、

「行ってきます！」

と言うと、妖精たちとともに結界から飛び出していった。

「頼んだわよ！」

薫子の声に送られて、プリキュアたちはデューンに突進していった。

今のデューンにはプリキュアたちの姿は米粒以下にしか見えないはずだが、聖なる光を帯びたその存在に気づいたのか、地球を攻撃するのをやめて振り返った。

デューンは微かな光に向かって、掌から邪悪なエネルギー弾を連射した。だが、スーパーシルエット姿のプリキュアたちはことごとく躱して、デューンの前で止まった。

キュアブロッサムが慈愛に満ちた表情を浮かべて言った。

「デューン……あなたの悲しみが終わらないのは私たちの力が足りないから。憎しみが尽きないのは私たちの愛がまだ足りないから。だから……だから……」

感極まって言葉を詰まらせたので、キュアムーンライトが言った。

「だから、私たちは力を合わせましょう」

右手をキュアブロッサムの前に差し出した。

キュアブロッサムが頷き、その手の甲の上に自分の手を重ねた。

「あたしも合わせる！」

「私も」

「コフレも！」

「シプレも！」

「ポプリも！」

「みんなで力を合わせるですぅ！」

四人のプリキュアと三人の妖精たちの手が重なり合い、心が一つになった時、その頭上に『ハートキャッチミラージュ』が出現して、鏡が輝きだした。

「宇宙に咲く大輪の花！」

プリキュアたちが同時に叫ぶと、『ハートキャッチミラージュ』はさらに光を増し、全員が聖なる光に包まれた。

その光はさらに輝きを増し、グングン膨張していった。デューンと同じぐらいの大きさになって光が消えると、純白の衣を纏った聖少女(せいしょうじょ)が現れて、涼(すず)やかな声で言った。

「無限の力と無限の愛を持つ星の瞳のプリキュア、ハートキャッチプリキュア！　無限シルエット！」

その顔はつぼみといつきにどこか似ているし、髪の形はえりかのように軽いウェイブがかかり、髪の色はゆりと同じである。聖少女の首に巻かれたマントは妖精たちが変形したものであろう。

デューンは憎しみを込めた拳で殴ろうとするが、聖なる力に弾かれてしまう。

「憎しみは自分を苦しめるだけです」

聖少女が静かに言った。

だが、デューンは耳を貸さず、何度も拳を打ち込み続けるが、すべて弾かれてしまう。

デューンの表情に変化が起き始めた。憎しみに満ちていた目は見開かれたまま、畏怖(いふ)の目へと変わっていく。デューンを見つめる聖少女の双眸は優しさに満ち溢れ、澄み切っている。デューンがおののき、1～2歩後退りをした時であった。

聖少女は静かに近づき、言った。

「無限シルエットの前には憎しみの力はすべて無に帰してしまいます。あなたの憎しみと悲しみをプリキュアの愛で包み込んで、浄化してあげます」

「や、やめろ……来るな！」

逃げ出そうとするデューンを聖少女は素早く抱き締めた。

デューンを支配していたデビルが断末魔の叫びを上げたその瞬間、その体から邪悪なエネルギーが一瞬のうちに弾け飛んだ。

デューンはデビルの姿から元の青年の姿に変わっていく。

聖少女の腕の中で、デューンの表情が柔和になっていく。デューンの脳裏に、まだ幼かった頃、母に抱かれた自分の姿が浮かんだ。

デューンの姿は青年から少年に変わっていく。

「こ、これが……プリキュアの愛……僕の負けだ」

そう呟き、微笑むと、デューンの体は金色の粒子になって宙へ舞い上がっていった。

聖少女は涼やかな笑みを浮かべて見送ると、聖なる光となって『ハートキャッチミラージュ』の鏡の中へ吸い込まれていった。

同時に、スーパーシルエット姿のプリキュアたちと妖精たちが現れた。

晴れやかな表情のゆり、つぼみ、えりか、いつきと薫子、コッペ、妖精たちが枯れ果てた『こころの大樹』の前で立っていた。

「コッペ、『ココロポット』を頂戴」

薫子が言うと、コッペは胸のハートの中に手を突っ込んで、『ココロポット』を取り出した。

「ゆりちゃん、蓋を」

「はい」

ゆりが変身の時に使っていた『ココロポット』の蓋を薫子に渡した。薫子はそれを『ココロポット』にセットすると、『こころの大樹』の根元に捧(ささ)げた。

刹那、『ココロポット』が輝きだすと、七色の虹が発生してゆっくり『こころの大樹』に伸びていった。虹が枯れ果てた幹に架かった瞬間、『こころの大樹』が蘇っていく。

同時に幹の中から小さな薄紫色の光が飛び出してきた。

「コロン……！」

ゆりが言うと、小さな光は嬉しそうにみんなの周りを旋回した。

大樹はすぐに青々と葉をつけると、次に芽が息吹き、蕾が膨らみ、花が咲いていき、やがて無数の花が大樹を覆った。

この素晴らしい『こころの大樹』の再生ぶりを、ゆりたちは感動して見ている。

その時、心地よい風が吹いてきて、枝を揺らし無数の花びらが地上に向かって舞い落ちていった。

砂漠と化した地上に『こころの大樹』の花びらが降り注いでいくと砂漠は消えていき、デューンが浄化されたことにより動きが止まったデザートデビルも浄化されていった。

砂漠が消えた後に残ったクリスタルに花びらが触れると、聖なる光とともに、中に閉じ込められていた人間たちが元の大きさに戻り、『こころの花』が体内に吸い込まれていった。

こうして、プリキュアたちの活躍のおかげで地球も人類も元通りになっていった。

プリキュアの役目を終えたゆりたちは、コッペに運ばれてプリキュアパレスを訪ねると、『ハートキャッチミラージュ』を返還した。

パレスの中庭に並ぶ自分たちのプリキュア像を誇らしげに眺めたゆりたちは、『こころの大樹』を守る妖精たちとも別れを告げて、蘇った地球の日常の中へと帰っていった。


プリキュアたちがデューンを浄化して地球を守ってから2回目の春が来た。

月影ゆりは母の春菜とともに、英明の故郷である山梨県に墓参りに来ていた。

英明の実家の墓に花を手向け線香を上げて手を合わせた。

ゆりはこの春、父の母校である京都の大学に合格して、父と同じ植物学者になることを報告した。墓の中には遺骨を納めることはできなかったが、植物園のロッカーに残っていた父の白衣を納めてあった。

隣で長い間手を合わせて祈る母には、デューンを倒した後すぐに、ゆりは自分がプリキュアであったこと、英明が『砂漠の使徒』のサバーク博士になっていたこと、ダークプリキュアが自分の妹であったこと、そして、英明が自分たちを庇(かば)って非業の死を遂げたこと、すべてを打ち明けていた。

春菜はすべて受け入れてくれた。すでに覚悟はできていたのだろう。英明のことは何も言わず、涙一つ見せずにポツリと言った。

「ゆりちゃんが無事に戻ってきてくれてよかった」

ゆりが母の優しさに涙を流したのは言うまでもなかった。

大学に合格した時、一緒に京都に行こうと誘ったが、春菜は黙って首を横に振るばかりだった。

英明が死んだ以上、植物園の官舎に住めないのは明らかだったので、ゆりは再度京都行きを勧めた。

「花咲園長さんがね、ゆりちゃんは大学を卒業して植物園の研究員になるんだから引っ越すことはないって言ってくれたのよ。お母さん、好意に甘えさせてもらうことにしたの」

少女のような笑みを浮かべながら言うものだから、ゆりはそれ以上勧めるのをやめた。母のことだから一緒に住むと、つい父のことを考えて涙を流す自分の姿を娘に見せるのが嫌なのだと思う。

そんなことを思い出していると、ようやく春菜が祈るのをやめた。

「ずいぶん長いこと祈っていたけど、何を祈っていたの？」

「お父さんにね、京都に行ってもゆりちゃんに変な虫がつきませんようにってお願いしたのよ」

そう言って微笑むと、ゆりの腕に自分の腕を絡ませて墓を後にした。

丘の中腹にある寺の山門を潜って出てきた時、二人が感嘆の声を上げた。

その前には、甲府盆地が大パノラマとなって広がっており、正面にはまだ雪を被った富士山を眺めることができた。

だが、二人は日本一の山に感嘆したのではなかった。盆地を囲む山々の斜面に絨毯(じゅうたん)を敷き詰めたように、濃淡のピンクや白の花が満開に咲いていたからだ。桜、桃、梨の花々であろう。

その花景色を眺めながら、ゆりはつぼみ、えりか、いつきのことを想った。

三人は4月から明堂学園の高等部に進む。高等部にファッション部がないので、三人で創部すると張り切っていた。その中で一番驚いたのは、いつきがファッション雑誌のモデルを始めたことだった。高等部を卒業し、本格的にパリに進出して国際的モデルに挑戦するえりかの姉のももかに代わって、雑誌の専属モデルに決まったのだ。当分は武道と両立させると言っていたが、いつきなら可能であると、ゆりは思う。

えりかも母親の右腕となって、『フェアリードロップ』の服のデザインを手がけるようになった。

つぼみは宇宙に行くには米国のＮＡＳＡに就職しなければならないと思い、英語を本格的に始める傍ら、高所恐怖症を克服するために遊園地の絶叫マシーンに暇があれば乗っているらしい。

──私も負けてはいられないわ。

ゆりはつぼみたちと疾風のように駆け抜けたプリキュア時代の素晴らしい経験を胸に、自分も夢を実現させるために努力し続けることを咲き誇る花々に誓った。

〈完〉

小説 ハートキャッチプリキュア!　新装版

原作
東堂いづみ

著者
山田隆司

イラスト
馬越嘉彦

協力
金子博亘

デザイン
装幀・東妻詩織（primary inc.,）
本文・出口竜也（有限会社 竜プロ）

山田隆司 | Takashi Yamada

脚本家。山梨県出身。1954年6月15日生。1979年『宇宙空母ブルーノア』で脚本家デビュー。『特捜最前線』等のドラマや特撮物の脚本を経て、アニメ脚本を数多く手がける。代表作に『おジャ魔女どれみ』『ハートキャッチプリキュア！』がある。第１回東京国際アニメフェアにおいてテレビ部門脚本賞受賞。

講談社キャラクター文庫 019

小説 ハートキャッチプリキュア！　新装版

2023年2月8日　第１刷発行

KODANSHA

著者	山田隆司　©Takashi Yamada
原作	東堂いづみ　©ABC-A・東映アニメーション
発行者	鈴木章一
発行所	株式会社　講談社
	〒112-8001　東京都文京区音羽 2-12-21
電話	出版（03）5395-3489　販売（03）5395-3625
	業務（03）5395-3603
本文データ制作	講談社デジタル製作
印刷	大日本印刷株式会社
製本	大日本印刷株式会社

ISBN 978-4-06-530823-3　N.D.C.913　318p　15cm
定価はカバーに表示してあります。Printed in Japan